EL NIÑO-PÍCARO LITERARIO DE LOS SIGLOS DE ORO

ÁMBITOS LITERARIOS/Ensayo

Colección dirigida por Luis Alberto de Cuenca

25

Antonio A. Gómez Yebra

EL NIÑO-PÍCARO LITERARIO DE LOS SIGLOS DE ORO

Primera edición: diciembre 1988

Edita: Editorial Anthropos. Promat, S. Coop. Ltda.
Vía Augusta, 64, 08006 Barcelona
En coedición con el Secretariado de Publicaciones e Intercambio Científico de la Universidad de Málaga
ISBN: 84-7658-109-2
Depósito legal: B. 25.814-1988
Impresión: Gráf. Guada, Esplugues de Llobregat (Barcelona)

Impreso en España - *Printed in Spain*

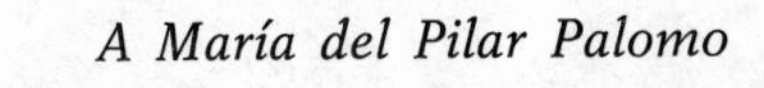

A María del Pilar Palomo

INTRODUCCIÓN

Acometer un estudio sobre la novela picaresca española de los siglos de oro no deja de ser un proyecto comprometido, si se tiene en cuenta que el tema ha sido abordado por numerosos especialistas cuyos análisis han ido limitando el campo de sus posibilidades de tratamiento. Sin embargo, los aportes de la Lingüística, de la Historia, de la Psicología y de la moderna Sociología han abierto en los últimos años nuevos cauces a la investigación, por lo que no ha de extrañar la aparición de este nuevo trabajo.

Muy diversos son los aspectos desarrollados hasta hoy y muy diferentes los logros que se han alcanzado y, no obstante, pocos, muy pocos, han sido los estudiosos que dedicaron su esfuerzo a considerar la etapa en que el pícaro no es todavía un adulto, época de la vida en este tipo de personajes que, en todos los casos, motiva su actividad futura.

Parece, pues, que el análisis del niño-pícaro,

desde los puntos de vista funcional, estructural y significativo, es imprescindible para llegar a comprender lo que es el pícaro adulto, cuando menos, en la Literatura.

En este aspecto, la mayor parte de las obras no van más allá de ofrecer algún epígrafe ocasional o ciertas notas marginales que aclaran situaciones y etapas del desenvolvimiento del pícaro como sujeto literario o como elemento iniciador de las novelas en su devenir temporal.

No obstante se pueden destacar, entre otros, los estudios de T. Hanrahan,[1] quien se preocupa de investigar detenidamente a los personajes femeninos, saliéndose por ello de lo común; el de F. Maldonado de Guevara,[2] uno de los pocos que se acercan al asunto aquí tratado, y el tan reciente de J.A. Maravall, *La literatura picaresca desde la historia social,*[3] cuyos aportes en algunos aspectos, como el afán de medro del joven pícaro, me parecen de suma importancia. De todas formas, la breve detención de unos y otros en el tema que me interesa no hace sino confirmar la necesidad de una monografía de esta índole.

Definir el concepto «novela picaresca» tras lo comentado anteriormente resultaría un afán tan inútil como pretencioso, mientras determinar el campo de «lo picaresco» no sería de mayor utilidad. Pese a todo, y como de alguna manera hay que delimitar el *corpus* que, de otra forma resultaría demasiado extenso, relaciono en el cuadro adjunto los

---

1. T. Hanrahan, *La mujer en la novela picaresca española,* 2 vols. México, Porrúa Turanzas, 1977.

2. F. Maldonado de Guevara, «Interpretación del *Lazarillo de Tormes*», en *Homenaje a Menéndez Pelayo,* Madrid, Facultad de Filosofía y Letras, 1957.

3. Madrid, Taurus, 1986.

personajes, títulos y autores en los que me he basado:

AUTOR	NOVELA	PÍCARO
J. Alcalá Yáñez	*El donado hablador*	Alonso
C. García	*La desordenada codicia*	Andrés
M. de Cervantes	*La ilustre fregona*	Avendaño y Carriazo
	Rinconete y Cortadillo	Cortadillo y Rinconete
A.J. Salas Barbad	*La hija de Celestina*	Elena
E. González	*Vida y hechos de Esteb.*	Estebanillo
A. Enríquez Gómez	*Vida de don Gregorio G.*	Gregorio G.
M. Alemán	*Vida de Guzmán de Alfa.*	Guzmán
F. López de Úbeda	*La pícara Justina*	Justina
Anónimo	*Lazarillo de Tormes*	Lázaro
M. de Zayas	*El castigo de la miseria*	Marcos
V. Espinel	*La vida del escudero M.*	Marcos de Obregón
F. de Quevedo	*Vida del Buscón don Pablos*	Pablos
F. de Santos	*Periquillo el de las g.*	Periquillo
A. de Castillo	*La garduña de Sevilla*	Rufina
	La niña de los embustes	Teresa
M. de Cervantes	*El licenciado Vidriera*	Tomás Rodaja
A. de Castillo	*Aventuras del bachiller*	Trapaza

La inclusión de Tomás Rodaja de este inventario, pese a no ser un auténtico pícaro, se basa en razones que se aducirán más adelante, así como la no enumeración de obras de los mismos siglos se debe al hecho de no presentar datos relevantes o a haber sido compuestas, a veces en lengua castellana, fuera de nuestro país. En cuanto a la incorporación de Rinconete y Cortadillo a pesar de que la obra que los acoge no pueda considerarse novela picaresca, no ha de extrañar si tenemos en cuenta que Cervantes incorpora con frecuencia pícaros en muchas de sus obras.

Aquí se trata de realizar una síntesis de las actividades y situaciones en que los pícaros eran todavía niños o adolescentes por medio de cada una de las novelas relacionadas en el esquema anterior, sin desechar otras aportaciones que veremos.

Aplicar a novelas tan diferentes en cuanto a estilo, autor y fecha de composición el mismo método no parece fuera de lugar, ya que no se busca de ninguna manera descubrir cambios sociales, políticos o religiosos mediante este tipo de literatura. Bien al contrario, la sustancial transformación que se produce a esos niveles en la vida real no lleva aparejada una variación esencial en el comportamiento y en las formas de realizarse de los niños. Un niño del XVI y otro del XVII, social y literariamente estudiados, apenas se diferencian entre sí en cuanto a sus posibilidades de realización, ya que las relaciones paterno-filiales y su formación intelectual evolucionan escasamente.

DEFINICIÓN DEL NIÑO-PÍCARO

Son hoy tan numerosas y controvertidas las definiciones del término *pícaro* que su simple lectura fatiga, no siendo necesario profundizar en exceso para comprobar que muchas de ellas son meros inventos terminológicos amparados en cuestiones etimológicas, geográficas, políticas o culturales diversas. Lo más fácil es, desde luego, apropiarse de textos de las mismas novelas para afirmar que el pícaro es un héroe, un antihéroe, un mozo de muchos amos, «un nómada como suelen serlo los héroes que viven al margen de la sociedad estabilizada, un parásito»,[1] «un criado o escudero [...] o un elemento que surge de la vagancia, abundancia y vida muelle de las grandes ciudades»,[2] «un figurón nacido en las capas inferiores de la sociedad, un

1. G. Díaz-Plaja, «Prólogo» a *Lazarillo de Tormes. Vida del Buscón,* México, Porrúa, 1972, p. X.
2. A. Valbuena Prat, *La novela picaresca,* vol. I, Madrid, Aguilar, 1974, p. 15.

gusarapo fermentado en el cieno y puesto a curar al sol sobre el estiércol»,[3] «un vagabundo que pretende vivir con el mínimo esfuerzo, a quien repele el trabajo sobre todas las cosas, pero que no es aún un delincuente, aunque podría llegar a serlo».[4]

Por otra parte, como afirma N. Alonso Cortés, el elemento pícaro englobaba a diversos personajes de todas las clases sociales, ya que «pícaros había para todos los gustos y bajo esta denominación cabían figuras muy variadas en la jerarquía del hampa y la malicia».[5]

De esta forma habrá que admitir que las posibilidades de definición son muy amplias y complejas, y que su estudio nos apartaría del tema central, por lo que se puede aceptar, en principio, la sintética definición de C.J. Cela donde, aparentemente de un modo frívolo o al menos informal, se presenta al pícaro como «tipo humano descarado, apaleado y resignado que vivió en la España de los siglos XVI y XVII rodeado de un ambiente convenientemente hostil y zarandeado por gobernantes tenidos por ecuánimes en su obediente ceguera, cléri-

---

3. J. Ortega y Gasset, «La picardía original de la novela picaresca», en *Obras Completas,* Madrid, Revista de Occidente, t. II, 1966[7], p. 123.

4. J. Manrique de Aragón, *Peligrosidad social y picaresca,* Barcelona, col. Aubí, 1977, pp. 30-31. (He simplificado plurales). Otras acepciones de «pícaros» pueden hallarse en el estudio de Valbuena Prat recién citado, en A. Bonilla y San Martín, «Etimología del pícaro», *Revista de Archivos, Bibliotecas y Museos,* t. V, 1901, pp. 374-378, o en S. Eoff, «The picaresque psychology of Guzmán de Alfarache», *Hispanic Review,* XXI, 1953, pp. 107-119, etc. Respecto a Lázaro, aparece en la obra como «un niño harapiento, quizá no holgazán, pero en cualquier caso sin oficio ni beneficio, perfectamente disponible» (F. Rico, *La novela picaresca y el punto de vista,* Barcelona, Seix Barral, 1973[2], p. 108).

5. N. Alonso Cortés, «Sobre el *Buscón*», *Revue Hispanique,* XLIII, 1918, p. 32.

gos vapuleadores en su falta de caridad y caballeros soberbios en su fanfarria que pronto habría de troncarse en derrota; a su hambre, los historiadores le suelen llamar inadaptación, cuando no le aplican peores y más crueles epítetos».[6]

Esta es, aunque larga, una de las más completas delimitaciones del término pícaro, la que está más en consonancia con el enfoque de este estudio y la que voy a adoptar por ahora.

Hay que hacer, sin embargo, alguna salvedad, puesto que se está hablando del pícaro en general, y aquí solamente se pretende estudiar al pícaro literario en las etapas iniciales de su vida.

Por el mismo motivo estoy en desacuerdo con el adjetivo *descarado,* ya que en los primeros compases de cada novela, el pícaro-niño no se puede decir que «habla u obra con desvergüenza, sin pudor ni respeto humano»,[7] sino de forma comedida y respetuosa. Así en *Lazarillo de Tormes* se puede leer: «porque a mí, con amenazas, me preguntaban, y como niño, respondía y descubría cuanto sabía, con miedo».[8] Incluso el niño se manifiesta avergonzado, irresoluto, en una situación psicológica perfectamente comprensible para un ser de su talla social e intelectual: «lo que por una parte me daba osadía, por otra me acobardaba. Hallábame entre miedos y esperanzas, el despeñadero a los ojos y lobos a las espaldas. Anduve vacilando».[9]

---

6. C.J. Cela, «Pícaros, clérigos, caballeros y otras falacias, y su reflejo literario en los siglos XVI y XVII», pról. de *Novela picaresca española,* t. I (selección y notas de A. Zamora Vicente), Barcelona, Noguer, 1974, p. 16.

7. Defino por el DRAE, 1970[19].

8. Anónimo, *Lazarillo de Tormes* (prefacio de G. Marañón), Buenos Aires, Espasa-Calpe, 1965, col. Austral, p. 45.

9. M. Alemán, *Guzmán de Alfarache* (ed. de J. Onrubia), Barcelona, Bruguera, 1972, p. 95.

Lo que sí es cierto —y en ello no he de insistir de momento—, es la hostilidad del ambiente, la resignación del pícaro y el hambre que cada uno de ellos va a padecer y con cuya aparición se inicia la vida de desventuras de los pícaros convirtiéndose en una causa motriz de sus acciones.[10]

Desmembrando, pues, la anterior definición puedo ya, sin menoscabo de ir añadiendo o eliminando todavía algunos detalles, fijar el prototipo de niño-pícaro así: tipo humano apaleado, hambriento y resignado, que vivió en la España de los siglos XVI y XVII, rodeado de un ambiente hostil y zarandeado por las clases mejor acomodadas, reflejado en varias novelas del género picaresco pero también en otras de índole costumbrista.[11]

Como tantas definiciones, ésta es susceptible de perfeccionamiento y, desde luego, parece oportuno añadir el núcleo «menor de edad» para el protagonista al que dedico este estudio.

Podría alegarse la indeterminación del sintagma «menor de edad», pero he preferido la posible vacilación —que en todo caso se podría techar hacia los 18 años— a citar una edad tope en la que el niño-pícaro deja de serlo para convertirse en adulto, dato este imposible de entresacar de las novelas picarescas, que si son, hasta cierto punto, autobiográficas, no presentan la disposición de un diario.

---

10. Véase sobre este aspecto, «El hambre en la situación de los desposeídos» en la obra de J.A. Maravall citada, pp. 75-85. No deja de ser interesante el siguiente párrafo: «el pícaro es el hambriento por insumisión, que no quiere aplicarse a seguir el camino trillado de los que con sus medios ganan de comer trabajando, justamente porque cree que el trabajo no es remunerador en la forma y medida que él pretende y porque él posee un medio excepcional».

11. No olvido de ninguna manera *La vida del pícaro compuesta por gallardo estilo en tercia rima,* cuya autoría está aún por confirmar, pero apenas es de interés para este estudio.

Las alusiones a edades de los pícaros son mínimas, y por tanto, insuficientes para estudiar con precisión el momento cronológico cuando parece ser que, tras la crisis de la denominada adolescencia, se ha llegado a la juventud y a la madurez. En el *Lazarillo* se apunta que «siendo yo niño de ocho años achacaron a mi padre ciertas sangrías mal hechas en los costales»,[12] de cuyo acto delictivo se sucede el destierro y la muerte de su padre.

El amancebamiento de Antona Pérez con Zaide no sería inmediato y como además hay que añadir el plazo de gestación, podríamos fijar que el negrito nació cuando Lázaro tenía no menos de nueve años.

Pero todavía se habrá de conceder una prórroga de unos dos años para que el hermanastro pueda espantarse y, señalando con el dedo hacia su padre, diga: «¡madre, coco!»[13] y pueda acabarse de criar hasta que supo caminar por sí mismo, tiempo que sirvió a Lázaro para convertirse en «un buen mozuelo, que iba a los huéspedes por vino y candelas y por lo demás que me mandaban».[14]

De modo que al llegar el ciego al mesón, según este cálculo y haciendo caso de la apreciación del mismo Lázaro, estaría hecho un mozalbete de once o doce años de edad.

No aparecen datos sobre la permanencia de Lázaro con el ciego, y hay que basarse en notas marginales, como el hecho de que «llegando a un lugar que llaman Almorox al tiempo que cogían las uvas un vendimiador le dio un racimo de ellas en limosna»,[15] lo que permite suponer que ocurrió en el

---

12. *Lazarillo,* ed. cit., p. 15.
13. *Ibíd.,* p. 45.
14. *Ibíd.,* p. 46.
15. *Ibíd.,* p. 54.

otoño. Y si más adelante tienen una longaniza para asar se deberá a que ha llegado la época de las matanzas —a principios del invierno—, dato confirmado por la climatología del día de la revancha, cuando «había llovido mucho la noche antes. Y porque el día también llovía».[16]

Lázaro se libraría, por tanto, del ciego, hacia los doce o trece años, si suponemos que Antona Pérez lo había puesto a su cuidado en la primavera precedente.

Al servicio del clérigo no pudo resistir tanto tiempo, pues «al cabo de tres semanas que estuve con él vine a tanta flaqueza, que no me podía tener en las piernas de pura hambre».[17] Tres semanas a las que podemos añadir unos quince días de agujerear y clavetear el arca y otros quince de recuperación. El total no sobrepasa las siete semanas, a lo sumo, dos meses, tiempo que pudo ser muy bien el de su permanencia con el hidalgo, pues «hacen cuenta, y de los dos meses le alcanzaron lo que él en un año no alcanzara».[18]

Con el fraile de la Merced, personaje singular de quien lo más notorio es lo que no se dice y ha de intuirse, permaneció menos tiempo, pues «éste me dio los primeros zapatos que rompí en mi vida; mas no me duraron ocho días. Ni yo pude con su trote durar más».[19]

Junto al buldero pasó menos hambre y por eso le hizo compañía durante un período más dilatado que le sirvió para desentrañar algunas falacias de quien aprovechaba la ingenua credibilidad del pue-

---

16. *Ibíd.*, p. 61.
17. *Ibíd.*, p. 67.
18. *Ibíd.*, p. 108.
19. *Ibíd.*, p. 115.

blo: «Finalmente con este mi quinto amo estuve cerca de cuatro meses, en los cuales pasé también hartas fatigas».[20]

Los cuatro años en que ofició como aguador parecen dar término a su niñez, teniendo en cuenta que «desque me vi en hábito de hombre de bien, dije a mi amo que se tomase su asno, que no quería seguir más en aquel oficio».[21]

Despreciando, por su escasez de datos, la estancia con el maestro de pintar panderos, resulta que Lázaro con 18 años y un hábito de hombre ha dejado la infancia y puede emplearse en ocupaciones propias de los adultos.[22]

Asentado como hombre de justicia con un alguacil deja de interesar a este trabajo su actividad al comienzo del tratado VII.

En el caso de Guzmán la primera fecha segura se encuentra hacia sus tres o cuatro años, pues «entre estas y esotras, ya yo tenía cumplidos tres años, cerca de cuatro; y por la cuenta y reglas de la sciencia femenina, tuve dos padres».[23]

---

20. *Ibíd.*, p. 132.
21. *Ibíd.*, p. 136.
22. Los períodos de permanencia con los diversos amos pueden concretarse así: con el ciego, 1 año; con el clérigo, casi 6 meses; con el hidalgo, menos de 2 meses; con el fraile, 8 días; con el buldero, cerca de 4 meses; con el capellán, 4 años. Si consideramos que estuvo con su madre hasta los 12 años, aparece en hábito de hombre de bien terminada la adolescencia, hacia los 18 años. Tales datos cronológicos me parecen más relevantes de lo que suele admitirse. Sin contradecir la tesis de A. del Monte (*Itinerario de la novela picaresca española,* Barcelona, Lumen, 1971, p. 52) cuando expresa que «lo que importa a Lázaro es el tiempo psicológico, de manera que quede claro cómo maduró», no nos debe pasar desapercibido el hecho de que el desarrollo psicológico del personaje se produce a través de un tiempo real que lo favorece y que F. Rico ha llegado a fechar. Véase su «Introducción» a *La novela picaresca española,* I Barcelona, Planeta, 167, p. XI.
23. M. Alemán, *Guzmán de Alfarache* (ed. de J. Onrubia), Barcelona, Bruguera, 1972, p. 95.

Poco más tarde muere su verdadero progenitor[24] y, ya camino de la Corte, sigue siendo tratado como un niño por todos los que encuentra a su paso, personajes que van aprovechándose de su juventud, de su pobreza y de su desamparo, por lo que se siente «desbaratado, engolfado, sin saber del puerto la edad, la experiencia menos, debiendo ser lo más».[25]

Se aposentará con varios amos, aprenderá el oficio de pícaro y seguirá siendo niño, pues tras la aventura nocturna de los gatos en el capítulo VI, al protagonista, que acaba de ver desnuda a su ama, no se le ocurre otro comentario que exclamar: «quedó mi ama del caso corrida y yo más; que, aunque varón, era muchacho y en cosas tales no me había desenvuelto».[26]

También en el caso de Guzmán, aunque sin concretar la edad, cambiar de traje supone pasar de la adolescencia a la edad adulta, y, con ella, a asumir los oficios correspondientes a su estado: «fuime de allí a la tienda de un mercader, saqué recaudo, llamé un oficial, corté un vestido [...] Viéndome tan galán soldado [...]».[27]

En cuanto a Carriazo, que se presenta como de «trece años o poco más», tres años bastarán para convertirlo en pícaro,[28] por lo que al despedirse de sus amigos y compañeros de vida tahúr, ya con dieciséis años, Cervantes advierte que «quiso vestirse y volverse a Burgos [y] prometióles que el verano

---

24. «Como quedé niño de poco entendimiento, no sentí su falta; aunque ya tenía de doce años en adelante» (ed. cit., p. 97).

25. *Guzmán,* ed. cit., p. 185.

26. *Ibíd.,* p. 230.

27. *Ibíd.,* pp. 245 y 246.

28. «En tres años que tardó en parecer y volver a su casa aprendió a jugar a la taba en Madrid» (M. de Cervantes, *La ilustre fregona,* en *Novelas ejemplares* [ed. de J. Alcina Franch], Barcelona, Bruguera, 1969, p. 418).

siguiente sería con ellos»,[29] aunque, como poco más adelante comenta «que se llegaba el tiempo donde había prometido a sus amigos la vuelta»,[30] resulta que en ese momento Carriazo cuenta con 17 años largos, pues la promesa consistía en permanecer un año en casa.

Con dos meses más de preparación para el desarraigo de Carriazo y Avendaño se colocan ambos —coetáneos— en el techo de esos 18 años en que se sienten capaces de vivir ajenos a la tutela paterna, mudando al mismo tiempo de vestimenta, ya que «vistiéronse a lo payo, con capotillos de dos haldas, zahones y zargüelles y medias de paño pardo».[31]

Con esa edad son capaces de galanteo y de oficios destinados a los adultos. Han dejado, pues, de ser niños.

Por su parte, Rinconete y Cortadillo van a coincidir en la venta con una edad muy próxima a la del abandono de la niñez. Cervantes nos los presenta como «dos muchachos de hasta edad de catorce a quince años»,[32] pero no contento con proporcionar unos datos lo suficientemente concretos como para situarlos en la adolescencia, añade, para que quede bien claro, que aún no son adultos, y con ello viene a confirmar la suposición primera de este apartado: «el uno ni el otro no pasaban de diez y siete años».[33] Por fin permite imaginar a los dos jóvenes durante «algunos meses más» en aquella vida pícara, proponiendo, con palabras del hijo del

---

29. *La ilustre fregona,* ed. cit., p. 420.
30. *Ibíd.,* p. 421.
31. *Ibíd.,* p. 423.
32. M. de Cervantes, *Rinconete y Cortadillo,* en *Novelas ejemplares,* ob. cit., p. 194.
33. *Ibíd.,* íd.

buldero, «consejar a su compañero no durasen mucho en aquella vida».

Así se puede suponer que tras esa etapa de inmersión en el hampa, caracterizada por la inquietud y el libertinaje, van a entrar en un estadio de vida más asentada, más firme, más reaccionaria, en definitiva, adulta.

Respecto a las pícaras, aunque quizás acceden a la picardía en una edad más o menos adulta, puede observarse que Catuxa, la madre de Teresa del Manzanares, aparece en un estado de dudosa definición entre la niñez y la juventud, cuando había cumplido los quince años: «A los quince años de su edad llegaba (que un culto dijera tres lustros) cuando murieron sus padres en una noche. Quedó la mozuela niña huérfana y sin hacienda».[34]

En ese momento se la cataloga como mozuela, pero también como niña, y algo más adelante se advierte que la requiebran los huéspedes y que su tía piensa ya en casarla con el mejor partido de Cacabelos. Muy poco después va a huir con Tadeo y transformarse, mediante el rito del cambio de hábito, en una mujer: «En esta acomodó Tadeo a Catalina, llevando intento de llegar con ella a Madrid y allí vestirla y que corriese por su cuenta»,[35] por lo que habrá de admitirse que ha alcanzado la mayoría de edad hacia los 16 años, uno dos años antes que los varones de la picardía.

La propia Teresa, criada con solicitud por sus padres hasta los siete años, queda huérfana a los diez[36] y aún con trece años, cuando la hija de

---

34. A. de Castillo y Solórzano, *La niña de los embustes,* en *La novela picaresca,* ob. cit., t. II, p. 325.

35. *Ibíd.,* íd.

36. «Dejándome huérfana de edad de diez años, y pobre, que era lo peor», *La niña de los embustes,* p. 334.

sus tutores está siendo festejada por los tres galanes, a ella la tratan como a una niña acariciándola sin malicia. Sin embargo, tres años más bastan para convertirla en una mujer, de modo que, nuevamente a los dieciséis años es el momento en que despedimos a la niña y saludamos a la mujer, como confirma la propia protagonista: «ya yo era de diez y seis años, edad en que la que no es entonces mujer de juicio, no le tendrá en la de cincuenta».[37]

Rufina, en *La garduña de Sevilla,* queda huérfana de madre a los trece años o poco más, teniendo en cuenta que ayudaba en las labores de la casa y en la enfermedad de su progenitora con doce años, y que ésta permanece en cama durante el período de un año.

Como no se expresa el tiempo transcurrido hasta su boda, no se puede hacer un cómputo exacto del mismo, si bien en este caso lo más admisible es que el enlace, debido a las apremiantes necesidades económicas de padre e hija y al súbito enamoramiento de Lorenzo Sarabia, se realizó un poco antes que en las pícaras anteriores, concluyendo, pues, su infancia, hacia los 14.

Un hecho similar ocurre en el caso de Elena, la hija de Celestina, a la que se priva de su infancia apenas «era mozuela de doce a trece años» para ser utilizada por su madre en la prostitución.[38]

Conocidos estos datos huelga ya advertir que en este estudio me limitaré a abordar la etapa infantil y juvenil de los pícaros hasta el límite que marca su inserción en la etapa adulta, alcanzado el grado

---

37. *La niña de los embustes,* p. 346.

38. «Porque como mi madre se resolviese a abrir tienda —que al fin se determinó antes de que yo cumpliese los catorce de mi edad» (A.J. Salas Barbadillo, *La hija de Celestina,* en *La novela picaresca,* t. I, p. 1.125).

de madurez necesario y supuesto el trámite del cambio de vestido. Este límite queda establecido para los varones en los 18 años y para las chicas en los 16, teniendo en cuenta que los casos en que acceden a la etapa adulta con catorce son excepcionales.

El desarraigo familiar

El desarraigo familiar es un momento clave en la vida de todo pícaro, real y de ficción, aunque un buen número de ellos lo hace involuntariamente al ser abandonados —como Periquillo— al poco tiempo de nacer, exponiéndolos de este modo a una muerte casi segura por hambre, frío o por otras circunstancias no desconocidas para quienes los ponían en tal situación. En defensa de las madres habrá de recordarse que a menudo lo hacían por simular una mal entendida honra,[39] pero eso no impedía que la mayor parte de esos niños estuviesen condenados a la muerte. Algunos, acogidos en hospitales o cofradías y muchas veces evadidos en cuanto podían valerse por sí mismos, se convertían en pícaros. Tal vez por ello el niño-pícaro viene a ser para F. Maldonado algo así como «un expósito, cuyo abandono evoca [...] el motivo existencial de la deyecticidad, es decir, de la yactura o echazón del existente en la existencia».[40]

39. «El temor a perder la honra podía llevar al abandono nocturno en pleno arroyo, lo cual quizá dé motivo a la frase popular; lo que traía el riesgo de que la criatura muriese comida por puercos, mordida por perros, o simplemente aplastada por cualquier viandante» (M. Fernández Álvarez, *La sociedad española en el Renacimiento,* Madrid, Cátedra, 1974, p. 120).

40. F. Maldonado de Guevara, art. cit., p. 42.

El abandono del hogar, el desarraigo, es el origen de casi todos los males que afligirán al niño-pícaro y, en gran manera, con él comienza el duro aprendizaje que supone la picardía.

Para describir el desarraigo voluntario ya se había acuñado en la época un término apropiado, *desgarrarse,* utilizado en más de una ocasión por quienes abordaban el género: «Se desgarró, como dicen los muchachos, de casa de sus padres, y se fue por el mundo adelante».[41]

Este desgarramiento parece producido, al menos en la literatura picaresca, por frustraciones de origen vario, que van desde las producidas por las necesidades primarias insatisfechas, tanto de orden físico —hambre, casa, vestido— como sentimental —afecto, educación moral, etc.—, hasta el agobio que suponen las incomodidades pueblerinas retratadas en la autopresentación de Cortadillo, al exponer a su futuro compañero de aventuras que le causaba enojo la vida estrecha de la aldea tanto como el trato, falto de amor, de su madrastra. Para Rinconete el desarraigo es fruto de su afición desmedida al juego y al dinero, mientras para Carriazo la causa es su apego a la vida libre y disoluta de los pícaros, por lo que —dirá— «le contó punto por punto la vida de la jábega y cómo todas sus tristezas y pensamientos nacían del deseo que tenía de volver a ella».[42]

---

41. *La ilustre fregona,* p. 418. Véase, sobre este punto, J.A. Maravall, «La amplia expansión del fenómeno del vagabundaje. Los vagabundos desgarrados del medio social», en su obra citada, pp. 246-251. Particularmente sigo en este aspecto algunas ideas de M. Morse, *The Unattached,* Pelican Books, 1965, que conozco por medio de A.A. Parker, *Los pícaros en la literatura,* Madrid, Gredos, 1971, p. 38.

42. *La ilustre fregona,* p. 421.

Por otra parte, todos los pícaros, niños o adultos, padecen una notable incapacidad para aplazar el placer inmediato en pro de una ganancia futura, nacida quizá de la inseguridad del hoy y de la lejanía de un mañana que puede ser peor incluso que el presente.

De ahí que todos y cada uno de ellos van a apropiarse de las bolsas ajenas o a tomar venganza en la primera oportunidad que se les presente, tal como hace Lázaro, que ha venido rumiando largamente su situación: «Yo que vi el aparejo a mi deseo, saquéle debajo de los portales y llevélo derecho de un pilar o poste de piedra que en la plaza estaba».[43]

Esta falta de habilidad o al menos de paciencia para soportar un compás de espera no está reñida, en absoluto, con su capacidad de resignación, puesto que se trata de aprovechar, a las primeras de cambio, una ocasión que puede haberse estado esperando y aun preparando durante mucho tiempo.

No cabe duda de que otra causa que invita al desgarramiento es la vida ociosa de que hacen gala los pícaros, *modus vivendi* reconocido, aceptado y valioso. Vivir en ocio continuo es el mayor deseo del picaruelo, y el mejor oficio posible es el de vivir a costa del trabajo y del esfuerzo de los demás, como se desprende de la respuesta de Cortadillo a Rinconete: «No sé otro [oficio] sino que corro como una liebre y salto como un gamo, y corto de tisera muy delicadamente».[44]

Es una manera de vivir tomada por mimetismo de la jerarquía nobiliaria, lo suficientemente acostumbrada a vivir del trabajo de sus siervos como

---

43. *Lazarillo,* p. 61.
44. *Rinconete y Cortadillo,* p. 195.

para, llegado el momento de la decadencia, aferrarse «a sus blasones —a su mísera soberbia— y diera lugar al tipo bastante frecuente del hidalgo ocioso y hambriento, eterno pretendiente y acosador de ministros y autoridades».[45]

El hecho de que el ocio se considerase forma de vida aceptada, reconocida y valorada queda testimoniado en la cantidad de personas de cierta categoría social que fueron, sin embargo, atraídos por la vida picaresca, tanto en la literatura[46] como en la vida real, ya que no sólo personajes de la burguesía acomodada, sino también miembros de la nobleza, prefirieron vivir como jabegueros a hacerlo como caballeros.

Confirma este dato el hijo de aquel conde que, porfiando por hacerse pícaro, respondió «que sus padres ya no le reclamaban y además, que estaban conformes con que él llevase aquel género de vida».[47]

Este género de vida atrae a gentes de las más diversas ocupaciones, englobando y subsumiendo a hijosdalgos venidos a menos, soldados mutilados,

---

45. AA.VV., *Historia de España y América, social y económica,* vol. 3, Barcelona, Vicens Vives, 1974, p. 53. La picaresca hispanoamericana heredará esta aversión del pícaro, y aunque en ningún momento he hecho alusión a tal tipo de obras, recuérdense las palabras del padre del Periquillo ultramarino: «¿Mi hijo a oficio? No lo permita Dios. ¿Qué dijera la gente al ver al hijo de Manuel Sarniento aprendiendo a sastre, pintor, platero u otra cosa? [...] si usted quiere dar a Perico algún oficio mecánico atropellando con su nacimiento, yo no, pues, aunque pobre, me acuerdo que por mis venas y por las de mi hijo corre la ilustre sangre de los Ponce, Tagles, Pintos, Velascos, Zumalacárreguis y Bundiburis» (J.J. Fernándiz de Lizardi, *El Periquillo Sarniento,* México, Porrúa, 1965^{7}, p. 27).

46. Recuérdese el caso de Carriazo y Avendaño, que determinaron ocupar al menos una temporada veraniega en la atrayente vida de la jábega. Véase *La ilustre fregona,* p. 421.

47. P. Herrera Puga, *Sociedad y delincuencia en el Siglo de Oro,* Granada, Universidad, 1971, p. 424.

«alguaciles, ladrones, escribanos de daca y toma, poetas desaforados, maníacos de vario pelaje, ninfas de la calle, espadachines chiflados, mendigos fulleros, médicos de "Dios te la depare buena", rufianes, maridos cartujos [...] hampones de cambiante registro»;[48] cualquiera puede desarrollar en alguna época de su vida las características que lo convierten en un pícaro, aunque ello no quiera decir que se decida a hacerlo.

El hecho de desgarrarse puede ser originado también por una incapacidad absoluta para mantener el sentimiento del deber, como le ocurre a Rinconete, o al mismo Guzmán, cargado de honra y con su casa sin que nadie coja las riendas para levantar la heredad. Su falta queda perfectamente explicada en los últimos párrafos del capítulo II cuando confiesa: «quedé solo, sin árbol que me hiciese sombra, los trabajos acuestas, la carga pesada, las fuerzas flacas, la obligación mucha, la facultad poca [...] El mejor medio que hallé fue probar la mano para salir de miseria, dejando mi madre y mi tierra».[49]

En el caso de Lázaro, sin embargo, esta incapacidad se va desarrollando poco a poco tras el *shock* que produce su despertar al mundo. Después de ser introducido, con la «gran calabazada en el diablo del toro», Lazarillo despierta y, de «la simpleza en que, como niño dormido estaba» va disponiéndose a olvidar el sentimiento del deber que le ata como siervo al ciego para sangrar «el avariento fardel, sacando, no por tasa, pan, mas buenos pedazos, torreznos y longaniza».[50]

---

48. F. Rico, prólogo a *Lazarillo de Tormes. Diablo Cojuelo,* Madrid, Salvat-Alianza, 1970, p. 17.
49. *Guzmán,* p. 100.
50. *Lazarillo,* p. 49.

Es un ejemplo de pérdida de respeto al otro. El ciego, con la añagaza del toro, ha hecho que su pupilo cese en los miramientos que le dedicaba. Ninguno de los dos está cumpliendo con el deber establecido en el contrato primero. Si el viejo no cuida del huérfano, como había prometido, éste se siente liberado de toda responsabilidad de ofrecer un servicio leal. A partir de aquí, Lazarillo sólo será fiel a quien se preocupe, en lo posible, por su persona, es decir, al hidalgo, incluso sobrepasándose en el cumplimiento de sus obligaciones.

La búsqueda de nuevas emociones por medio de la delincuencia es una de las causas del desgarramiento de Pablos, una vez digeridos los malos ratos pasados a su llegada a la Universidad. Decidido a divertirse a costa de los demás en mayor grado que se habían burlado de él, se lanza a peligrosas aventuras que podrían haberle costado la vida o las galeras, por estrujar al máximo la emoción que conlleva el riesgo. Sus palabras son elocuentes: «Busqué nuevas trazas de holgarme y di en lo que los estudiantes llaman correr o arrebatar [...] y tiré una estocada por delante del confitero. Él se dejó caer pidiendo confesión, y yo di la estocada en una caja, y la pasé y saqué en la espada, y me fui con ella. Quedáronse espantados de ver la traza, y muertos de risa».[51]

Buscar la emoción por medio de la delincuencia es un rasgo de inmadurez psíquica al tiempo que resultado de una incapacidad social a la hora de educar o reeducar a sus miembros más débiles o desfigurados. En el caso de Pablos, como en otros, se advierte una perentoria necesidad de destacar

---

51. F. de Quevedo, *Vida del Buscón don Pablos,* Madrid, Salvat-Alianza, 1969, pp. 62 y 63.

para acceder al puesto de líder en su grupo. Todos los actos que lleva a cabo durante la etapa universitaria parecen encaminados a ello. El deseo de ser caballero, pronunciado en sus primeros discursos, se manifiesta en Alcalá como un desorbitado apetito de fama que no se detiene en la consideración de los medios utilizados.

Pero no es menos cierto que la puesta en práctica de sus hechos delictivos conlleva un riesgo, y este riesgo es el que satisface su urgencia de emociones intensas y da a su vida un cierto sentido lúdico. Por esa causa Pablos minimizará la importancia de sus fechorías calificándolas de «travesuras».

La circunstancia del desarraigo familiar favorece, por otra parte, las situaciones de apaleamiento, hambre y resignación estoica que se sucedieron en la vida de los pícaros y, aunque son inherentes a cualquier momento de sus vidas, parece que se incrementan desde entonces, como delata un parlamento de Guzmán: «Gastado, robado, hambriento y deshechas las quijadas a puñetes, desencasado el pescuezo a pescozadas, bañados en sangre los dientes a mojicones [...]».[52]

En este aspecto es una ligera excepción Estebanillo, quien ya antes del desarraigo recibía castigos, aunque, eso sí, no presentan excesiva contundencia ni demasiada efectividad.[53] Casi siempre, de todas formas, va a resultar indemne de sus fechorías, a menudo por darse prisa en salir huyendo.

En lo tocante al hambre no parece haber excep-

---

52. *Ibíd.*, pp. 138 y 139.

53. «Tenía a cargo la mayor de ellas [sus hermanas] el castigarme y reprehenderme; y unas veces me daba con su mano de mantequilla bofetada de algodón» (E. González, *La vida y hechos de Estebanillo González*, México, Porrúa, 1971, p. 2).

ciones, pues ni las pícaras, que salieron mejor paradas en cuanto a la recepción de golpes, se libraron de su azote, siendo este móvil, en varias ocasiones, el que las hizo cambiar de estado hacia la prostitución o el matrimonio.[54]

Realidad y ficción

Si bien tanto los pícaros como la literatura que los ha retratado no han dejado de reproducirse nunca,[55] no es menos cierto que quienes dejaron mayor impronta y, en lo literario, han llegado a ser punto de partida para los demás, han sido los pícaros literarios españoles de los siglos XVI y XVII.

Mucho se ha discutido acerca del realismo o la ficción mimética de la novela picaresca, hasta tal grado que M.R. Lida llega a expresar que «en nuestros días, es crimen de lesa estética hacer hincapié en el realismo de la novela picaresca».[56] Pese a ello, el aporte que supone el ignorado trabajo de P. Herrera Puga invita a reconsiderar algunos aspectos y proporciona nuevos datos históricos para la investigación, especialmente al abordar el tema de la mendicidad infantil, donde no utiliza innecesarios adornos literarios:

---

54. La prostitución y las labores domésticas serán las funciones que ocupen al mayor número de nuestras pícaras literarias. Teresa del Manzanares es, con Justina, una de las pocas que ejercieron durante algún tiempo un trabajo remunerado de distinta índole.

55. Sucesores de los pícaros clásicos habrán de considerarse algunos personajes de De Foe, Dickens, Twain, Baroja, Tomás Salvador o Cela, si bien, como es lógico, con matizaciones especiales en cada caso.

56. M.R. Lida, *Actas del primer Congreso Internacional de Hispanistas,* Oxford, The Dolphin Book, 1964, p. 351.

> Pero el más desolador de todos los cuadros lo formaban los niños, que hambrientos, casi desnudos, cubiertos por la roña, y comidos de tiña, acudían a los mercados y las puertas de las casas de gula para sustentarse con las sobras y vagar luego por el Compás y la Mancebía, adiestrándose en las artes que habían de llevarlos al verdugo o a las galeras de por vida. Este nuevo personaje, sensible y extraño, sembraba por todas partes la inquietud con su pequeña presencia. Pudiera decirse que la situación había llegado a ser casi insostenible, si no fuera porque las características de los tiempos y la familiaridad con tantos males, habían apagado bastante la sensibilidad.[57]

En este mismo orden de datos el trabajo de H. Sancho de Sopranis, perfectamente enfocado hacia el siglo XVI, revela que en una ciudad como Jerez, suficientemente próxima a Sevilla como para ser antesala y vísperas de la misma, no era raro que «diaria o casi diariamente los niños del colegio de la doctrina cristiana recorrieran las calles recogiendo a los muchachos ociosos, cantera segura de Rinconetes y Cortadillos, que vagaban por mercados y calles de mercaderes, al acecho de una ocasión propicia para hacer cambiar de dueño las cosas, sin pedir parecer a aquellos que hasta entonces las poseían».[58]

También en Málaga existió una Casa Hospital que la Hermandad de Carpinteros creó en 1573 para recoger y alimentar a los niños expósitos[59] proce-

57. Ob. cit., p. 85.

58. H. Sancho de Sopranis, *Establecimientos docentes de Jerez de la Frontera,* t. I, Jerez, 1959, Centro de Estudios Históricos Jerezanos, p. 57. He fragmentado algunos párrafos.

59. Véase C. García de la Leña, *Conversaciones históricas malagueñas* (ed. facsímil de la de 1793) t. IV, Málaga, C.A. Provincial, 1981, pp. 14 y 132-134.

dentes de los famosos Percheles, cuna y academia de pícaros, así como a otros de Vélez-Málaga, Marbella, Coín, Churriana, Torre del Mar, Fuengirola, Torremolinos, etc., aunque no empezó a funcionar hasta 1640. Este mismo año se fundó en los mismos Percheles el Colegio de Niñas Educandas, donde se les enseñaba «todas las obligaciones correspondientes para tomar estado de Religiosos, el de casadas, ó para vivir despues en sus casas con una crianza christiana, y politica y gobierno de ella».[60]

La necesidad de estas instituciones venía determinada por la presencia de huérfanos en las calles, lacra social producida a veces por el fallecimiento de sus parientes próximos en epidemias, terremotos o inundaciones, pero también por la insuficiente alimentación o los estragos del frío sobre una población que no disponía apenas de prendas de abrigo.

Pero además, la política exterior de España en esos siglos originaba una continuada lucha en varios frentes europeos y en América, causa también de orfandad y de un empobrecimiento del país que motivó una tensión enorme entre las clases pudientes y las menos favorecidas. A esta conclusión llega J. Taléns cuando advierte que «la clase dominante necesitó de esta ideología para defender sus privilegios y encontró un enemigo fuerte en otra clase social, es decir, que la lucha de clases tuvo fuerza y produjo tensiones».[61]

---

60. *Ibíd.*, p. 259. Con posterioridad (1704), unas beatas del hábito de S. Francisco fundaron el Real Colegio de Niñas Huérfanas, que «por caridad se habian dedicado à recoger, mantener, y educar las que quedaban perdidas, y vagamundas por las calles, por no tener padres que las mantuvieran, y criasen con temor de Dios» (*ibíd.*, p. 221). En 1756, una dama piadosa fundó el Colegio de Niñas del Corazón de María, de similar función.

61. *Novela picaresca y práctica de la transgresión,* Madrid, Júcar, 1975, pp. 35-36.

Las tensiones, por supuesto, no fueron exclusivas entre clases sociales diversas, sino que, debido a la competencia, se produjo también entre los miembros de las clases peor dotadas, lo que se traducía en numerosas confrontaciones de toda índole.

Todo esto se tenía que manifestar de alguna manera en la literatura y por eso al pícaro, para medrar, no le arredra aplastar las cabezas de aquellos que tiene a su alrededor. Conseguir superar a otro es una hazaña que afirma la propia fuerza o la propia inteligencia; el fin justifica los medios, sean del tipo que sean.

Herir al que hace daño, burlarse del que burla, engañar al embaucador, llegan a ser de este modo fines nobles y santos, por lo que alguno dirá: «Vine a resolverme de ser bellaco con los bellacos, y más, si pudiese, que todos».[62]

La hostilidad del ambiente queda quizá mejor trazada que en las comedias de capa y espada o de honor. De hecho, si cada español medianamente acomodado llevaba su espada al cinto e incluso la aristocracia se permitía el lujo de tener mercenarios para su defensa personal, no puede extrañar que Rinconete y Cortadillo, muchachos al fin, estén provistos de armas blancas que espantan a sus posibles agresores.[63]

En este mundo de violencia apenas contenida es lógico que fueran precisamente los niños, peor dotados para la autodefensa, quienes padecieran sus efectos. De este modo los golpes, los abusos de todo tipo, los castigos, llovían sobre sus espaldas, como

---

62. *Buscón,* p. 57.

63. «Mas ellos, poniendo el uno mano a su media espada, y el otro al de las cachas amarillas, le dieron tanto que hacer que, a no salir sus compañeros, sin duda lo pasara mal» (*Rinconete y Cortadillo,* pp. 198 y 199).

ocurre al malparado Lázaro sobre quien cae no sólo la ira del ciego sino, en ocasiones, la del público, que dejándose llevar por la violencia que se respiraba, incita a su amo de diversas formas: «Y reían mucho del artificio, y decían: —Castigadlo, castigadlo, que de Dios lo habréis».[64]

Realidad y ficción se dan la mano en estos pasajes en los que su anónimo autor está proporcionando olor de santidad a la ocasión de la paliza, y, con ello, justificando el castigo corporal efectuado por el superior sobre el siervo.

No cabe duda de que es el *Lazarillo* el que nos presenta un notable caudal de testimonios en cuanto a las relaciones entre las castas sociales. Lázaro va a ser utilizado durante su juventud por un ciego, un clérigo, un hidalgo, un buldero, un fraile de la Merced, un maestro de pintar panderos y un capellán, y por un alguacil y un arcipreste, en su estado adulto. Cada uno de sus amos se va a aprovechar de él en la medida de sus propias necesidades.

Los dos primeros lo maltratan físicamente y lo mantienen en un estado de hambre insufrible; para el tercero se convierte en alacena, siendo además el único que comete la desfachatez de abandonarlo en manos de la justicia; y el fraile de la Merced hace de él, cuando menos, su acompañante. Con el quinto y el sexto pasó también «hartas fatigas» y mil males, siendo el capellán quien se comportó más notablemente con él.

El oficio de hombre de justicia le resultó peligroso, y en el de marido, pese a las suspicacias, quedó bien conforme y en la creencia de estar bien situado en sociedad.

---

64. *Lazarillo,* p. 53.

Estebanillo —otro Lázaro de Tormes, según el alférez— va a servir a dos barberos, a un esclavo negro, a un alférez, a dos cocineros, al secretario de la hija de don Juan de Austria, al cocinero mayor de un cardenal, a un cirujano y a un virrey, durante su minoría de edad, por lo cual se advierte que es utilizado para lavar pañales, ser porteador, abanderado, asistente de fogón, criado, pícaro de cocina, barrendero, comediante, aprendiz, enfermero y mozo de plata.

Es posible, por tanto, afirmar que el niño-pícaro estaba a merced de *todas las clases sociales,* reflejadas en unos amos que, indefectiblemente, se ceban en él[65] al que siempre tienen la posibilidad de arrojar de su lado sin que nadie les pida explicaciones.

Por todo ello, puede quedar definido desde ahora el niño-pícaro como «tipo humano menor de edad, desarraigado de los suyos que, sin duda como reflejo de la realidad histórica, apareció en la novela picaresca española de los siglos XVI y XVII dispuesto a medrar socialmente, pero siempre condenado a padecer la incomprensión y la hostilidad de su entorno socio-literario».

---

65. Para J. Cejador, el pícaro será «un mozo de muchos amos, que con todos ellos padece desdicha y él es bobo marrullero, por todo lo cual le cuadraba bien el nombre tradicional de Lázaro» (Prólogo al *Lazarillo de Tormes,* Madrid, Clásicos Castellanos, 1926, p. 18).

LOCALIZACIÓN DEL NIÑO-PÍCARO

Las influencias del medio ambiente en todos los seres vivos determinan no sólo las diferenciaciones étnicas, sino —y esto es decisivo en el género humano— el modo de ser, el acento peculiar, la economía, la vivienda, e incluso el desarrollo de castas o clases sociales bien determinadas. El hombre tiene que adaptarse al medio en que se desenvuelve, por lo que con J. Jacobs hemos de admitir que «un organismo está adaptado cuando existe una relación lógica entre sus propiedades y las exigencias que le plantea su medio ambiente».[1]

En la novela picaresca la localización geográfica y ambiental de sus personajes centrales va a ser, por una parte motivo de su desarraigo —lo que supondrá una actividad itinerante—[2] y por otra, mo-

---

1. «Adaptaciones», en *Del origen de las especies,* Madrid, Alianza, 1971, p. 115.

2. Toda novela picaresca es, en cierta medida, un libro de viajes, un peregrinar físico y social en busca de un ambiente menos inhóspito en todos los aspectos. En palabras de J.A. Maravall, «la primera manifestación de desvinculación social del pícaro es, pues, el abandono inicial de su lugar de origen. Nadie es pícaro en su tierra» (ob. cit., p. 253).

tivo de desmitificación de unos elementos literarios preexistentes.

La mayor parte de los pícaros, en efecto, no tienen reparos en citar su lugar de nacimiento, lugar donde, a menudo, transcurren su niñez y parte de su adolescencia. F. Maldonado de Guevara ha demostrado en base a sus estudios sobre Lázaro que el punto de nacimiento del niño-pícaro ejerce una función «intencional en el donaire de la burla y de la parodia»,[3] pues si el niño mítico había sido hijo de algún dios en la literatura clásica o de algún noble o rey en la Edad Media, en la picaresca suele surgir de las esferas inferiores, de las clases más bajas económica y moralmente, de la escoria de la sociedad.

La función mítica positiva que el nacimiento en el agua había representado hasta el siglo XVI desaparece entonces, y Lázaro, que nació de noche y en el centro del Tormes, como otro Amadís, no va a recibir del río —en anteriores ocasiones divinizado— ningún beneficio, pues no se ha de olvidar que el toro o verraco emplazado como portero del mismo le va a proporcionar sus primeros quebraderos de cabeza.[4]

Solamente va a poder utilizar en su favor los derechos de nacimiento fluvial en el instante en que se desembaraza del ciego. En esa ocasión el río se comporta como verdadero padre, ya que con su crecida favorecerá la venganza del picaruelo.

---

3. Art. cit., p. 42.

4. «Salimos de Salamanca, y llegando a la puente, está a la entrada de ella un animal de piedra que casi tiene forma de toro, y el ciego mandóme que llegase cerca del animal, y allí puesto, me dijo: —Lázaro; llega el oído a este toro y oirás un gran ruido dentro dél. Yo, simplemente llegué, creyendo ser así. Y como sintió que tenía la cabeza par de la piedra, afirmó recio la mano y diome una gran calabazada en el diablo del toro» (*Lazarillo,* p. 47).

Por fin, la proximidad del Tajo —la historia llega a su fin en Toledo, ciudad abrazada por el río— va a influir tan negativamente en su vida, que la profecía del mesón de Escalona se hará realidad.

Tampoco Guzmán escapará a la influencia del agua, si tenemos en cuenta que el encuentro procreador de sus padres había sido concertado en una vega del Guadalquivir[5] y que comenzará sus aventuras en un año de sequía.

Otro tanto le ocurre a Teresa, que tomará su sobrenombre del río en cuyos márgenes fue concebida.[6]

Cuando Estebanillo recuerda el parto de Aldonza, su madre, se alegra de no haber nacido prematuramente en la orilla de otro río mítico, el Miño, pues gracias a eso pudo nacer en la zona de influencia del Tíber, cuya sola mención evoca un complejo mítico muy rico inserto en la misma narración:

> Pudiéndome parir muy a su salvo en las cenefas y galón de plata de la argentada orilla del celebrado Tíber, entre abismos de deleitosos jardines, y entre montes de edificios insignes y sobre tapetes escarchados por la copia de Amaltea, cunas y regazos de Rómulos y Remos.[7]

---

5. «Era entrado el verano, fin de mayo, y el pago de Gelves y San Juan de Alfarache el más deleitoso de aquella comarca, por la fertilidad de la tierra, que es toda una, y vecindad cercana que le hace el río Guadalquivir famoso, regando y calificando con sus aguas todas aquellas huertas y florestas» (*Guzmán,* p. 87).

6. «La hija de mi madre (que soy yo) se forjó en las riberas del señor Manzanares, porque persuadida de Pierres [...] no supo hacerle resistencia, brindada de la soledad del campo», (*La niña de los embustes,* p. 332). El paralesismo en la aceptación del sobrenombre entre Lázaro y Teresa es evidente; mientras Lázaro afirma «mi nacimiento fue dentro del río Tormes, por la cual causa tomé el sobrenombre» (*Lazarillo,* p. 43), Teresa refiere que «en aquella ribera se formó Teresa del Manzanares, dándome el apellido del mismo río» (*La niña de los embustes,* p. 332).

7. *Estebanillo González,* ed. cit., p. 1.

En el caso de Estebanillo, que pudo haber nacido en Salvatierra y, desde luego, renace por el agua bautismal en Roma[8] a orillas de un río sagrado, no le queda sino concluir su existencia, salpicada de naufragios y aventuras a través del mar, en una de las ciudades costeras más importantes de la época, donde tanta grandeza y maravilla ha de procurarle la mayor felicidad.

No obstante, aunque Nápoles[9] va a ser la ciudad sosegada de su vejez, el héroe hace notar que de ninguna forma ha alcanzado la felicidad,[10] lo cual confirma la conclusión primera: si en la Antigüedad clásica el nacimiento en un río era síntoma de felicidad, protección y buena suerte en general, en la picaresca lo va a ser de desgracia y sinsabores.

En lo que se refiere al nacimiento en tierra firme, está desprovisto —así parece justo interpretarlo— de toda significación mítica, y ello se debe, probablemente, al hecho de no salirse de la norma. Sin embargo, su análisis aporta también una serie de detalles cuando menos curiosos y sociológicamente dignos de estudio.

La capital fue cuna de Elena, Teresa y Periquillo, mientras que en Sevilla nacieron Guzmán de Alfarache, la Garduña y Gregorio Guadaña. Madrid y Sevilla son las únicas ciudades donde nace más

---

8. El mismo narrador y protagonista tiene dudas acerca de cuál pudo haber sido su lugar de nacimiento, sin decidirse por ninguno de los dos, aunque prefiere Roma, cabeza del mundo.

9. «La gran ciudad de Nápoles, metrópoli de todas las grandezas, maravilla de marvillas, cuyos montes son dulce olvido de los hombres, cuyos campos son prodigios ostentosos de la naturaleza [...] su muelle asombro del piramidal coloso» (*Estebanillo González,* p. 144).

10. «Y soy tan por todo extremo infelice, que siempre a una pena me sigue otra pena, a una desdicha, otra desdicha». (*Estebanillo González,* p. 44).

de un pícaro, ya que el resto de la nómina se reparte entre Salamanca —Lázaro—, Segovia —Pablos—, El Pedroso —Cortadillo—, Fuenfrida —Rinconete—, Burgos —Carriazo—, Mansilla —Justina—, Zamarramala —Trapaza—, Salvatierra o Roma —Estebanillo—, una villa de Andalucía —Alonso—, y Navarra —Marcos—.

De este modo resulta fácil situar a nuestros héroes en dos líneas convergentes que, partiendo del límite Galicia-León y Navarra-Burgos, respectivamente, se dirigen hacia Madrid, donde confluyen con una tercera línea que parte de Sevilla (véase figura 1).

Si se recurre a contrastar la zona de origen de sus ascendientes directos y los lugares por los que discurren los pícaros en sus viajes juveniles se obtendrá un espectro mayor que permitirá una determinación geográfica más aproximada:

Nombre del niño-pícaro	*Lugar de origen*		
	Padre	*Madre*	*Pícaro*
Alonso	Villa andaluza	Villa andaluza	Villa andaluza
Andrés	Desconocido	Desconocido	Desconocido
Carriazo	¿Burgos?	¿Burgos?	Burgos
Cortadillo	¿El Pedroso?	¿El Pedroso?	El Pedroso
Elena	Galicia	Granada	Madrid
Estebanillo	Galicia	Galicia	¿Salvatierra?
Gregorio	¿Triana?	¿Triana?	Triana
Guzman	Levante	Levante	Sevilla
Justina	C. de Luna	Zea (Sahagún)	¿Mansilla?
Lázaro	¿Salamanca?	¿Salamanca?	Salamanca
Marcos	¿Navarra?	¿Navarra?	Navarra
Pablos	Segovia	Segovia	Segovia
Periquillo	¿Madrid?	¿Madrid?	Madrid
Rinconete	¿Fuenfrida?	¿Fuenfrida?	Fuenfrida
Rufina	Zamarramala	Desconocido	Sevilla
Teresa	Gascuña	Cacabelos	Madrid
Trapaza	Tierra de C.	Zamarramala	Zamarramala

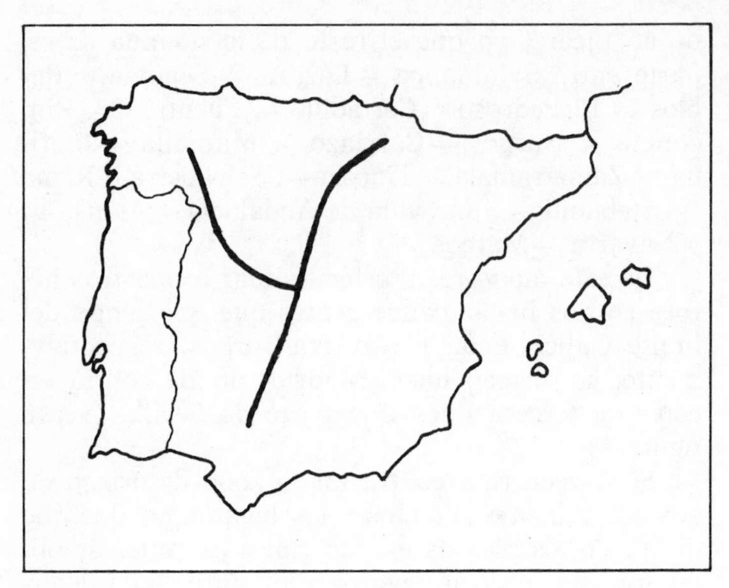
FIGURA 1

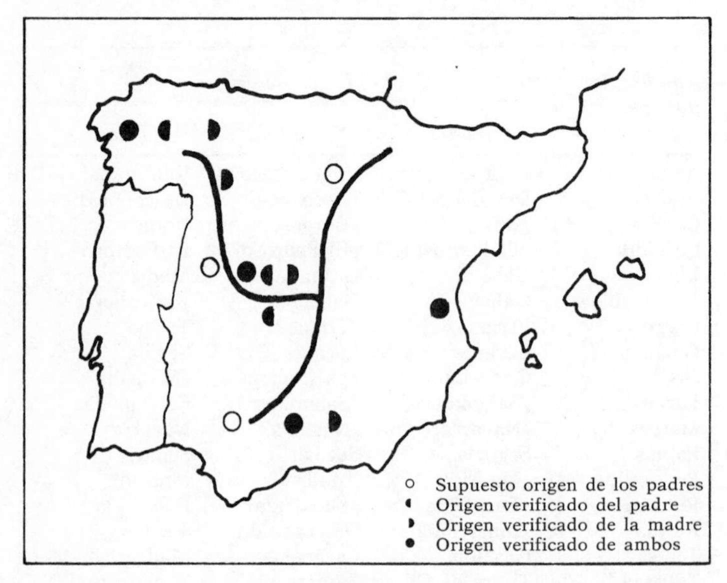

FIGURA 2

Este esquema presenta una situación muy semejante a la expuesta más arriba, si bien hay que añadir tres núcleos nuevos: Gascuña —que lo es por mera casualidad—: Levante —patria de donde se han desgarrado los antecesores de Guzmán—; y Granada, que engrosa el número de las poblaciones andaluzas.

De esta forma, la *Y* que proporcionaba el mapa anterior se ve confirmada y aumentada (veáse figura 2).

Con esto podemos resumir que los principales puntos de origen de los pícaros literarios se sitúan en Galicia, el Centro y Andalucía, lo que parece confirmar la idea de que las zonas productoras de pícaros eran, por una parte, las dos grandes ciudades en que se asentaban la Corte y la Casa de Contratación, y, por otra, los núcleos de población más abandonados y pobres de las regiones citadas.

Los viajes

Queda dicho más arriba que una de las características definitorias del niño-pícaro era el desgarrarse de su familia, aunque quizá se pueda utilizar con más propiedad el término *desarraigo* para conceptuar la huida del lugar de origen —que ocurre en todos los casos— fundamentada en una calificación peyorativa del propio terruño.

Así ocurre en el caso de Estebanillo, quien considera que lo peor de sí mismo se debe a su ascendencia gallega.[11] El pícaro está convencido, además,

11. «Por lo cual me he juzgado por centauro a lo pícaro, medio hombre y medio rocín: la parte de hombre, por lo que tengo de Roma, y la parte de rocín por lo que me toca de Galicia» (*Estebanillo González,* p. 1).

de que sus males tienen origen en la debilidad, en la falta de personalidad de su Salvatierra natal, «rabo de Castilla, servidumbre de Asturias y albañar de Portugal».[12] Por esta y otras causas basadas en intereses económicos y sociales renuncia, sin dar muestras de pesar, a su patria chica, adquiriendo por mimetismo las características étnico-idiosincrásicas de aquellos en cuya compañía se ha de mover. El viejo aforismo «adonde fueres haz como vieres» se cumple al pie de la letra, pues apenas iniciada la narración el pícaro advertirá: «con el alemán soy alemán; con el flamenco, flamenco; con el armenio, armenio; y con quien voy, voy, y con quien vengo, vengo»,[13] un buen método, desde luego, para pasar desapercibido y no sufrir ningún tipo de segregación.

En *La hija de Celestina* se nos proporciona un dato sociológico más que sustenta el desapego de Estebanillo hacia su patria, menospreciada ésta por medio de una comparación tan sutil como ácida: «Y así hizo firme voto a su Profeta, que observó rigurosamente, exceptuando *los gallegos,* por parecelle que entre ellos y *los moriscos* la diferencia no es considerable».[14]

Vemos, pues, que la madre de Elena comparaba a los gallegos con los moriscos, y éstos eran considerados en la época como una categoría similar a la del esclavo, tal y como se desprende de otro pasaje de la misma obra: «Mi madre fue natural de Granada [...] Servía en Madrid a un caballero de los Zapatas, cuya nobleza en aquel lugar es tan antigua que nadie los excede y pocos los igualan. Al fin, *esclava*».[15]

---

12. *Estebanillo González,* p. 1.
13. *Ibíd.,* p. 2.
14. Ed. cit., p. 1.123. La cursiva es mía.
15. *Ibíd.,* p. 1.122. La cursiva es mía.

Habrá que considerar, pese a todo, que el encono demostrado en ambas obras hacia los gallegos y los moriscos va poco más allá de ser un motivo folklórico, observable también en el refranero hacia otros pueblos y razas peninsulares, ya que muchos moriscos eran libres y se dedicaban a tareas muy diversas, desde el nomadismo a la piratería. Este ensañamiento con determinadas etnias también ha ocurrido en otras zonas del planeta, tanto en la realidad como en la ficción literaria, y así Hamilton, por ejemplo, encuentra un notable paralelismo entre los moriscos vasallos de señores españoles de los siglos de oro y los negros esclavos del sur de los Estados Unidos en época más reciente.[16] No es de extrañar por ello que Estebanillo quiera desembarazarse de su Salvatierra original —último rincón del mundo— a fin de descolgarse el sambenito de gallego que a su modo de ver no le favorecía en absoluto.[17]

Hechos similares van a ocurrir con otros pícaros, algunos de los cuales sentirán verdadera aversión por su lugar de nacimiento, de cuyo nombre prefieren olvidarse como hará Cortadillo en su autopresentación a Rinconete: «Mi tierra, señor caballero —respondió el preguntado—, no la sé, ni para dónde camino, tampoco»,[18] aunque algo más tarde, ante la sinceridad de su compañero, termina por confesar que procede de El Pedroso, topónimo que singulariza a no menos de tres villas en la geogra-

---

16. Véase *Historia social de España y América,* ob. cit., p. 106.

17. Recordemos, a guisa de ejemplo, algunos refranes sobre el tema: «Guárdate de can preso y de mozo gallego.» «—Galleguito, darás la coz? —Tarde o temprano, sí señor.» «Antes moro que gallego.» «Los enemigos del alma son tres: gallego, asturiano y montañés.»

18. *Rinconete y Cortadillo,* p. 195.

fía peninsular, pero que, a buen seguro, hace referencia a una de Sevilla.

Por su parte, Andrés, el protagonista de *La desordenada codicia de los bienes ajenos,* es mucho más sutil y definitivo a la hora de olvidarse de su ciudad de origen, alegando un indeterminado tipo de amnesia: «Sabrá vuesa merced que yo nací en una villa de este mundo cuyo nombre perdí en una enfermedad que tuve en el seiscientos y cuatro».[19] Utilizando este procedimiento tan cervantino no tiene que dar cuenta de su estado de ánimo en lo tocante a su localidad de origen, y, por otra parte, nadie lo puede acusar de falta de patriotismo. Andrés, con su olvido, salva las apariencias.

De un modo semejante, Alonso, personaje central de *El donado hablador,* evita toda concreción, limitándose a proporcionar una respuesta tan lacónica como evasiva: «Yo, padre mío, nací en una villa de Andalucía».[20]

Pero esta aversión, este olvido voluntario del lugar de origen, no se debe a cuestiones topográficas o paisajísticas, ni, en general, a motivaciones sociales o étnicas, sino más bien a razones de índole personal, afectivo. Cuando el pícaro deja su tierra lo hace por necesidades materiales o por falta de afecto de sus allegados:

> Mi tierra no es mía, pues no tengo en ella más de un padre que no me tiene por hijo y una madrastra que me trata como alnado, el camino que llevo es a la ventura, y allí le daría fin donde hallase quien me diese lo necesario para pasar esta miserable vida.[21]

---

19. C. García, en *La novela picaresca,* ob. cit., t. II, p. 10.
20. J. Alcalá Yáñez, *El donado hablador Alonso, mozo de muchos amos,* en *La novela picaresca,* ob. cit., t. II, p. 145.
21. *Rinconete y Cortadillo,* p. 195.

No cabía esperar que el desarraigo tuviese como fundamento lo inhóspito de la naturaleza donde llega a la vida el pícaro, ya que la descripción del marco biológico, salvo en *El escudero Marcos de Obregón*[22] y en *La niña de los embustes,* apenas tiene cabida en la novela picaresca.

La migración era un fenómeno desusado en los siglos oscuros, pero el descubrimiento del Nuevo Mundo, el auge de las transacciones comerciales y la mejora de las vías terrestres de comunicación, potenciaron enormemente su desarrollo. La etiqueta *aventurero,* aplicada al hombre del Renacimiento, encuentra en el pícaro su mejor destinatario. Los viajes llenos de peligros, muchas veces a la ventura, de los niños-pícaros, van a configurar el modo de vivir de todos ellos, hasta el punto de que su actividad como tales empieza con la partida del lugar donde habían nacido.

Pero esto, literariamente, tampoco presentaba ninguna novedad, pues de muy antiguo los héroes llevaban a cabo arriesgadas empresas viajeras con las que pretendían alcanzar fama y honor o recuperarlos. *La Ilíada,* por ejemplo, no es sino el intento de recuperar para Menelao y para el pueblo aqueo el honor perdido por la acción de un solo hombre, tal como reflejan las palabras del anciano Néstor: «Nadie, pues, se dé prisa por volver a su casa hasta haber dormido con la esposa de un troyano y haber vengado la huida y los gemidos de Helena».[23]

Otro tanto se puede decir de *La Odisea,* auténtica novela de viajes y aventuras marítimas. Ulises

---

22. No utilizo en ningún momento la obra de Vicente Espinel al carecer de información sobre la etapa infantil y juvenil del protagonista.

23. Homero, *La Ilíada,* canto II, versión de L. Segalá y Estalella, Madrid, Espasa-Calpe, 1962, col. Austral, p. 24.

ha de recuperar la libertad en diversos momentos e ir superando todas las situaciones adversas que obstaculizan su regreso y que, retrasándolo, ponen en peligro la reputación y los sentimientos de su esposa y, por ende, los suyos propios.

A su vez, la *Eneida* virgiliana perseguirá parte de las dos razones anteriores. Eneas, que ha perdido sus tierras y su calidad de invicto, se ve obligado a una gran travesía por el Mediterráneo que lo llevará a la mítica fundación de Roma.

El mismo Lucio, objeto de metamorfosis en *El asno de oro* por la acción de un ungüento mágico, se verá abocado a viajar si quiere recuperar la forma humana, ya que la solución de su problema pasa por la ingestión de rosas silvestres que ha de localizar previamente.[24]

La influencia homérica durante el período medieval se concreta en nuestra literatura en la configuración del *Libro de Apolonio* y el *Libro de Alexandre* como auténticos libros de viajes en los que Apolonio y Alejandro buscan respectivamente recuperar el honor/amor perdido y alcanzar el mayor grado de fama posible.

Rodrigo Díaz de Vivar necesitará, en este sentido, ir adquiriendo, por medio de un denodado viaje, la honra y los medios materiales que Alfonso VI le ha negado, motivo por el cual algún crítico ha denominado *comedia medieval*[25] a los 2.277 primeros versos del texto copiado por Per Abbat.

---

24. «Por fortuna, el remedio contra esta metamorfosis no es difícil de hallar: te bastará masticar rosas para que al punto dejes de ser asno y vuelvas a ser mi Lucio» (Apuleyo, *Las metamorfosis,* en J.B. Bergua, *La novela romana,* Madrid, Clásicos Bergua, 1964, p. 375).

25. M. Garci-Gómez, «Introducción» a *Cantar de Mio Cid,* Madrid, Cupsa, 1977, p. XVIII. El motivo que invita a tal consideración es que el anónimo autor del cantar hace «partir a sus protagonistas, hombres que procedían de la aldea, de unos principios muy

La alegorización cristiana de los temas paganos llegó por fin a identificar la situación de viaje con la vida humana misma, en cuanto que ésta es una serie sucesiva de momentos mediante los cuales el hombre va perfeccionándose. Jorge Manrique resumirá el fenómeno en una imagen que ha llegado a ser tópica: nuestras vidas son los ríos y su desembocadura natural es la muerte.

El proceso literario ha sido también un auténtico viaje hasta llegar a las novelas de caballerías, en las que sus héroes no disponen de otro medio para alcanzar fama y amor, algo también inherente a la construcción interna y externa del *Quijote.*

Impregnada de moralismo positivo o negativo, como la novela bizantina, la picaresca desembocará en *El Criticón,* novela de peregrinaje, «novela de camino, de andanzas incesantes remansadas en pocas peripecias» y novela en que el camino determina una marcha en la que ya está ausente la libertad.[26] Se trata ahora de aprender la filosofía del desengaño para poder volver atrás y revalorizar la vida. Pero hasta alcanzar este punto, los viajes, en medio de las peores condiciones, y sometidos a todo tipo de peligros, van a ser la fórmula imprescindible para abrir ante los ojos del muchacho desgarrado un mundo bello y al alcance de todos. Las palabras de Guzmán son bien elocuentes: «Alentábame mucho el deseo de ver mundo, ir a reconocer en Italia mi noble parentela».[27]

Al mismo tiempo los viajes van proporcionando

---

bajos y penosos para hacerlos llegar, tras una ascensión progresiva, a alegre y glorioso fin».

26. J.F. Montesinos, «Gracián o la picaresca pura», en *Ensayos y estudios de literatura española,* Madrid, Revista de Occidente, 1970, p. 150.

27. Ob. cit., p. 101.

al picaruelo los conocimientos necesarios para saber desenvolverse con la soltura suficiente como para sentirse seguro de sí mismo, y llegar a alcanzar, en un breve período de tiempo, la categoría de experto y, acaso de líder en su grupo. Es lo que manifiesta Cervantes cuando, refiriéndose a Carriazo, afirmará que «en tres años que tardó en aparecer y volver a su casa aprendió a jugar a la taba en Madrid, y al rentoy en las ventillas de Toledo, y a presa y pinta en pie en las barbacanas de Sevilla».[28]

Los viajes son, además de escuela práctica, un medio de afirmación en la adversidad, un medio de lucha contra los elementos, y por ello, un medio de fortalecimiento físico y moral, de ahí que algún pícaro, cuya procedencia de las clases acomodadas pudiera causar extrañeza, se sienta realizado pese a todos los inconvenientes que presenta la vida pícara: «en la mitad de las incomodidades y miserias que trae consigo no echaba de menos la abundancia de la casa de su padre, ni el andar a pie le cansaba, ni el frío le ofendía, ni el calor le enfadaba».[29]

La meta última, la culminación del viaje, es salir de la existencia pícara, pero esto apenas lo va a conseguir ningún pícaro. En la sociedad española de la época, y esto queda reflejado en la literatura picaresca, es prácticamente imposible alcanzar las rosas silvestres que producen la ansiada metamorfosis.

Metas parciales en el peregrinaje del pícaro pueden considerarse determinadas ciudades,[30] de las

---

28. *La ilustre fregona,* pp. 418-419.

29. Haré referencia, en exclusiva, a las que servirán como punto de destino a niños-pícaros; referirlas todas no tendría más sentido que abundar en el tema y desbordar los límites de este trabajo.

30. Salamanca, Toledo, Segovia, Alcalá y Carmona.

que Madrid y Sevilla van a ser las que reciban, como vimos, el mayor número de pícaros, algunos de los cuales serán residentes por tiempo indefinido.

Por la Corte van a desfilar Rinconete, Carriazo, Alonso, Teresa, las Harpías, Trapaza y Gregorio Guadaña entre otros, mientras que por la ciudad de la Giralda lo hacen Rinconete, Cortadillo, Carriazo, Elena, Teresa y Trapaza, sin contar los que nacieron en tales urbes.

Y es lógico que sean estos dos núcleos de población —la andaluza, que con 150.000 habitantes resultaba una de las más pobladas del mundo,[31] y la capital, que con 100.000 se había constituido en poco tiempo en una gran urbe— las que atrajeran al mayor contingente de pícaros. En ambas, aunque por distinta causa, se daban situaciones propicias al movimiento de dinero, lo que posibilitaba un brusco cambio de fortuna, uno de los motivos por los que los pícaros se habían decidido a emprender su viaje de iniciación.

También Toledo ocupa un puesto de privilegio en cuanto a servir de meta provisional o definitiva, ya que fue visitada por Lázaro, Cortadillo, Carriazo, Alonso, Teresa y Rufina. Tras estas poblaciones, Salamanca, Córdoba, Alcalá y Carmona se convirtieron en centros de recepción o en lugares de paso o de estudios. Cada una de estas ciudades tenía zonas determinadas en las que la densidad de la población pícara sobrepasaba los índices más pesimistas.

En Sevilla, el Arenal, las Tabladas y la Puerta de la Carne eran los lugares elegidos; en Toledo, Zocodover, y en Madrid, el Retiro, donde se

---

31. En 1568 Londres estaba poblado por 100.000 habitantes, y París por 200.000.

albergaba a un sinnúmero de pícaros y maleantes.

A veces los pícaros de menor edad se refugiaban en hospitales y escuelas regentadas por miembros del clero, como vimos, pero, por lo general, no tenían hogar y vivían al aire libre o en refugios encontrados en su camino: ventas, mesones, el hueco de un árbol, aunque no todos, por supuesto, opinaban como Carriazo que cualquier sitio era bueno para pasar la noche: «Tan bien dormía en parvas como en colchones; con tanto gusto se soterraba en un pajar de un mesón como si se acostara entre dos sábanas de holanda».[32]

La mayoría se encontraba en precarias condiciones físicas y los enfermos y lisiados se agolpaban en las puertas de los templos para solicitar el socorro público, deparando un espectáculo deprimente si consideramos que «personas de todas las edades, particularmente viejos y niños, iban y venían por todas partes sin rumbo ni destino».[33]

Las condiciones de vida eran, sobre todo en estas grandes urbes, desconcertantes. Alrededor del caballero, del burgués acomodado, del aristócrata que hacía correr a manos llenas el oro, pululaban a todas horas una chusma de pícaros entre los que los chiquillos formaban muchedumbre. Estos niños, nacidos en el abandono y la miseria viven como pueden, a veces amparándose en el anonimato de la masa, desarrapados, libres de formalismos y reglas de la sociedad circundante:

> Aquí pueden entrar rotos los codos
> y la camisa parecer de quero,
> la gente amancillada con apodos.

---

32. *La ilustre fregona,* p. 418.
33. P. Herrera Puga, ob. cit., p. 84.

> No admiten erreruelo ni sombrero,
> jubón de estopha, borceguí ni ligas,
> ni moço que no sepa ser quatrero.[34]

Por lo tanto, los medios de subsistencia de los niños-pícaros se reducían, en aquellos que vivían con un amo, a tomar lo que éste quería cederles, más todo aquello con lo que pudieran hacerse por medio de la sisa, una de las artes en que los pícaros aguzaron más el ingenio.

Lázaro va a ser maestro en este género de mantenimiento, sin importarle verse degradado a la categoría de *ratero* en primera instancia («Después que cerraba el candado y se descuidaba [...] por un poco de costura sangraba el avariento fardel»)[35] para terminar en la de *ratón.*[36]

El recurso de la asistencia a los entierros, para en ellos conseguir propina y banquete, era un sistema muy en boga, y si el literario Lázaro deseaba y rogaba a Dios que cada día se llevase a alguien consigo, los niños doctrinos de Jerez, entre otros, también lo utilizaban, aunque parece ser que con no tan escondidos deseos:

> Otro recurso que no dejaba de producir buena recaudación [...] era la asistencia de los niños a los entierros a los cuales la costumbre de la época quería muy concurridos de clérigos, frailes y cofradías; los doctrinos acudían a ellos con sus luces y su insignia y recibían la correspondiente limosna.[37]

---

34. *La vida del pícaro,* ed. cit., vv. 188-193, p. 314.
35. *Lazarillo,* p. 49.
36. «Este arquetón es viejo y grande y roto por algunas partes, aunque pequeños agujeros. Puédese pensar que *ratones,* entrando en él, hacen daño a este pan» (*Lazarillo,* p. 72. La cursiva es mía).
37. H. Sancho de Sopranis, ob. cit., vol. I, p. 62.

Para quienes vivían por sus propios medios, como Rinconete y Cortadillo, el engaño y el robo eran su instrumento de trabajo más eficaz, si bien efectuaban pequeños recados que no destapaban en demasía sus ansias de lucro y que en ocasiones les sirvieron de tapadera a sus actividades delictivas.

La peregrinación de los picaruelos con la que pretenden elevarse de categoría socio-económica presenta un sinfín de escollos. El primero de ellos será su propia ingenuidad, esa ingenuidad confiada en la palabra del adulto; luego estarán la perentoria necesidad de satisfacer el hambre y, sin duda, la falta de virtudes, en el aspecto personal y en el aspecto social. El niño-pícaro ha de aprender en primer lugar a no confiar en nada ni en nadie. Ante esta general desconfianza y esta duda continuada acerca de las actitudes del prójimo, hermandades de pícaros y gentes de vida dudosa como la presidida por Monipodio representan un verdadero oasis, casi un hogar para sus miembros, en especial para los más jóvenes.

Tanto es así que los picaruelos han de ser bautizados antes de ser aceptados por el grupo, como si se tratara de sacralizar la institución hampona. La ceremonia de introducción, como era de esperar, exige la dotación de un alias, de un mote significativo, identificativo: «Pues de aquí en adelante —respondió Monipodio—, quiero y es mi voluntad que vos, Rincón, os llaméis Rinconete, y vos, Cortado, Cortadillo».[38]

A partir de ese momento pasan a engrosar de

38. *Rinconete y Cortadillo,* p. 211.

pleno derecho la familia hampesca, y su cabecilla los acepta como hijos, preocupándose de ponerlos en condiciones de aplicarse a un oficio acorde con sus cualidades: «Querría saber, *hijos,* lo que sabéis, para daros el oficio y ejercicio conforme a vuestra inclinación y habilidad».[39]

Maestro y consejero de su clan, el cofrade mayor actúa además como juez en las disputas surgidas entre los suyos, siendo fundamental su función como secretario en asuntos amorosos.

Cierto que no ofrece a los neófitos cobijo bajo su mismo techo, como cabría esperarse tras la adopción, pero ello se debe a medidas de seguridad que favorecen a todos. Sus advertencias en cuanto al alojamiento son claras y determinantes: ninguno de ellos debe tener un lugar fijo de residencia, pues de hacerlo así resultarían fácilmente localizables por la justicia. Por ello Monipodio «abrazó a Rinconete y a Cortadillo, y echándoles su bendición, los despidió, encargándoles que no tuviesen jamás posada cierta ni de asiento, porque así convenía a la salud de todos».[40]

La casa que cobija a los cofrades durante sus puestas en común tiene todas las apariencias de una casita andaluza de la clase humilde, pobre pero aseada, cuyo patio proporciona frescor y sombra y clama por una guitarra bien afinada y un grupo de jóvenes alegres dispuestos a divertirse, pues en ella se distingue «un pequeño patio ladrillado, que de puro limpio y aljimifrado parecía que vertía carmín de lo más fino. A un lado estaba un banco de tres pies y al otro un cántaro desbocado, con un jarrillo encima, no menos falto que el cántaro; a otra parte

39. *Ibíd.,* p. 212. La cursiva es mía.
40. *Ibíd.,* p. 235.

estaba una estera de enea, y en el medio un tiesto, que en Sevilla llaman maceta de albahaca».[41]

Ante los maravillados ojos de los picaruelos, tal tipo de casa parecería no menos que un palacio, pero también se presentaba como un santuario, con su sacerdotisa en la figura de la vieja Pipota, encargada, más por devoción que por obligación, de mantener y acicalar sobre «la pared una imagen de Nuestra Señora, destas de mala estampa, y más abajo [...] una esportilla de palma, y, encajada en la pared, una almofía blanca, por do coligió Rincón que la esportilla servía de cepo para limosna, y la almofía, de tener agua bendita, y así era la verdad».[42]

Pipota es el tipo de beata clásica cuya religiosidad se limita a las prácticas externas del culto, y, por tanto, fácilmente catalogables como superstición, pero que, sin ningún tipo de duda, influiría positivamente sobre los novicios.

No menos importante es, por supuesto, la función de la casa como cuartel general de la hermandad. Dentro de sus muros cada pillo se encuentra protegido, ya por el ojo avizor de los centinelas apostados en los lugares estratégicos, ya por el saber estar de su jefe.

Casas como las de Monipodio, de cuya existencia real no se puede dudar, fueron, en resumidas cuentas, el lugar de cita de los pícaros, el centro de recepción de encargos, el cuartel general de las cofradías y el sucedáneo de la casa paterna.

Eran, probablemente, los únicos lugares en que se vivía en verdad, en los que cada uno conocía su propio valor y el de los demás, los únicos lugares

41. *Ibíd.*, p. 208.
42. *Ibíd.*, íd.

en que se prestaba ayuda al que venía de fuera, al que comenzaba o al que ya no se podía valer por sus manos.

Sin embargo, este tipo de cofradías no se veían como lugar de definitivo anclaje, de ahí que Rinconete y Cortadillo decidan abandonarla pese a todas sus ventajas. El niño-pícaro, queda dicho, pretende mejorar su posición, y asentarse en tales centros suponía un encasillamiento social definitivo. En el caso particular de Rinconete y Cortadillo los muchachos, de buen entendimiento, se dan cuenta de que aquella compañía, en lo moral y en lo legal, no puede resultarles más que desfavorable, pues «vivía en ella gente tan perniciosa y tan contraria a la misma naturaleza»[43] que lo mejor es no asimilarse a ella de un modo definitivo.

Una hermandad de esta índole podrá convertirse en lugar de paso y afianzamiento de la capacidad para subsistir, pero nada más. Los pícaros literarios van a permanecer en ella el tiempo estrictamente necesario, abandonándola cuando se ha utilizado como escuela, refugio, descanso y centro de avituallamiento: «Pero con todo esto, llevado de sus pocos años y de su poca experiencia, pasó con ella adelante algunos meses».[44]

Las cofradías hampescas, perfectamente organizadas, con su disciplina y con sus leyes estructuradas en auténticos códigos como las «Ordenanzas mendicativas» que aparecen en el *Guzmán,* son demasiado estrechas para nuestros pícaros, que no llegan a convertirse nunca en hampones. En palabras de M. Molho, el pícaro es un pordiosero, pero «su indigencia social es el resultado de una pobreza de

---

43. *Ibíd.,* p. 236.
44. *Ibíd.,* íd.

sangre y de alma que le limita en sus movimientos, en sus aspiraciones y en sus pensamientos».[45] De ninguna manera, pues, se puede aceptar que el pícaro sea un miembro arraigado de por vida en el hampa, aunque en ocasiones sus actividades delictivas temporales y su localización geográfica nos puedan invitar a confundirlos. Las cofradías hamponas no son sino un hito más en el viaje físico y existencial de nuestros pícaros.

45. *Introducción al pensamiento picaresco,* Madrid, Anaya, 1972, p. 20.

LA EDUCACIÓN DEL NIÑO-PÍCARO

La escasez de recursos económicos, la casi absoluta inexistencia de valores morales, la falta incluso de conocimientos teóricos en los padres de los que llegarán a ser pícaros no van a impedir que éstos reciban una educación, en la mayor parte de los casos, superior a la de sus progenitores. Para que este hecho tenga lugar son precisos varios factores, entre ellos los superiores conocimientos de buena parte de los amos, la asistencia a escuelas y universidades por parte de los pícaros, y el aprendizaje forzoso que han de llevar a cabo en la escuela de la vida, donde se desarrolla la ley de conservación del individuo.

Pero existe otro factor fundamental: el niño-pícaro cree que para ascender de categoría hay una serie de conocimientos que le son imprescindibles, especialmente dominar la lectura y la escritura. Por ello Pablos exigirá a sus padres el ser puesto como alumno. Es el mismo niño-pícaro el más preocupado por su propia formación moral, aunque sea totalmente contraria a la que rige su mismo hogar:

> Metílos en paz, diciendo que yo quería aprender virtud resueltamente, y ir con mis buenos pensamientos adelante. Y así, que me pusiesen a la escuela, pues sin saber leer ni escribir no se podía hacer nada.[1]

Ello no quiere decir, en absoluto, que los conocimientos adquiridos vayan a servir al joven para conseguir un empleo mejor, pues se va a ver muchas veces obligado a utilizarlos en servicio de otro, quien, con su auxilio, obtiene mejoras. De ahí va a provenir un cruel desengaño que sumirá al picaruelo en profundas meditaciones.

Así ocurre, por ejemplo, tras la declaración de analfabetismo del oficial calcetero, y la consiguiente petición de ayuda a Guzmán para aprender siquiera a firmar. El chico compara amargamente las dos situaciones:

> El hijo de nadie, que se levantó del polvo de la tierra, siendo vasija quebradiza [...] la remendó con trapos el favor [...] El otro hijo de Pero Sastre, que porque su padre [...] le dejó que gastar y el otro que robando tuvo que dar [...] ya son honrados.[2]

La consecuencia es evidente: la honra no se va a conseguir con el esfuerzo personal; para alcanzar una posición honorable no hay que proceder con virtud, y mucho menos importante es, por supuesto, la posesión de estudios y títulos. Lo único preciso y por lo que merece la pena luchar es por la

---

1. *Buscón,* p. 24.
2. *Guzmán,* p. 205.

posesión de riquezas, pues lo demás —utilizando una paráfrasis bíblica— vendrá por añadidura:

> ¿Quién les da la honra a los unos que a los otros quita? El más o menos tener. ¡Qué buen decanon de la facultad o qué gentil rector o maese escuela! ¡Qué discretamente gradúan y qué buen examen hacen![3]

Es un fragmento que retrata con fidelidad una época de desengaño en la que sólo parece inmutable el valor del poderoso caballero quevediano, que no podía dejar de hacer acto de presencia en la literatura picaresca.

El núcleo familiar

El niño-pícaro literario, tantas veces retrato del histórico, suele verse privado de afecto paternal, situación que parece producirse en todos los ejemplos, y ello por dos circunstancias: 1) muerte de uno de los dos progenitores; 2) abandono del domicilio familiar —con o sin el consentimiento de sus padres— por parte del niño-futuro-pícaro.

Lázaro, prototipo de pícaros, va a padecer las dos situaciones, agravadas por el amancebamiento de su madre con Zaide, su posterior juicio y la pobreza consiguiente.[4]

Si la separación de su padre, cuando apenas contaba ocho años de edad, no le produce aparentemente ningún trauma, la de su madre recuerda la despedida del Cid, doña Jimena y sus hijas, a

3. *Ibíd.*, íd.
4. «Y allí, padeciendo mil importunidades, se acabó de criar mi hermanico» (*Lazarillo*, p. 46).

las que, en cierto sentido, el héroe épico dejó huérfanas.[5]

Pero Mío Cid va a hallar consuelo en las palabras de Minaya, y doña Jimena y sus hijas en su compañía mutua y en el abad don Sancho, y no cabe duda de que tanto el héroe épico como su esposa e hijas permanecen entre amigos, confortados por la reciente acción de gracias y confirmada su esperanza en la implorada ayuda divina y en las propias fuerzas.

La situación de Lázaro es singularmente peor, pues deja el hogar para siempre, muy niño todavía, a las órdenes de un extraño, para colmo, ciego, de quien pronto va a sufrir sus artimañas.

Ni siquiera la invocación a Dios hecha por su madre tiene carácter positivo; no deja de ser una fórmula esterotipada que, a lo sumo, conlleva un deseo —consciente de su impotencia— de impetrar el favor del cielo:

> Y cuando nos hubimos de partir yo fui a ver a mi madre, y, ambos llorando, me dio su bendición y dijo:
>
> —Hijo: ya sé que no te veré más. Procura de ser bueno y Dios te guíe. Criado te he y con buen amo te he puesto: válete por ti.[6]

---

5. «Llorando de los ojos que no viestes atal, / así se parten unos d'otros como la uña de la carne» (*Cantar de Mio Cid,* ed. cit., vv. 374 y 375).

6. *Lazarillo,* p. 46. La brevedad y simpleza de Antona Pérez, así como su desapego, contrastan vivamente con lo que fray Luis de Granada propone como actuación de una madre respecto a su hijo: «Mira de la manera que una buena y cuerda madre ama a su hijo: cómo le avisa en sus peligros, cómo le acude en sus necesidades, cómo lleva todas sus faltas [...] con qué devoción ruega siempre a Dios por él; y, finalmente, cuánto más cuidado tiene dél que de sí misma, y cómo es cruel para sí por ser piadosa para con él» (*Guía de pecadores,* Madrid, Apostolado de la Prensa, 1948, p. 527).

Lázaro no tiene armas, no lleva equipaje, no capitanea un pequeño cuerpo de ejército. Ha de valerse exclusivamente de sus cualidades naturales todavía por verificar. Comparada su situación con la de Elvira y Sol, el picaruelo resulta aún más desfavorecido por la suerte, ya que ellas siguen junto a su madre, en la seguridad del monasterio, mientras él ha de abandonar a los que ama y la ciudad que conoce.

La orfandad de Guzmán y su desgarro familiar van a tener mucho de anecdótico e irónico. El pícaro, que jamás ha sabido a ciencia cierta quién era su padre, lo resume en estos términos: «Veisme aquí sin uno y otro padre, la hacienda gastada y, lo peor de todo, cargado de honra y la casa sin persona de provecho para podella sustentar».[7]

A Guzmán le pesa abandonar el hogar, pero no por cariño hacia su madre, sino por tener que privarse de gozar los bienes de que allí dispone, así como de los amigos y conocidos.

Pablos, tras el funesto episodio de la fiesta de Carnestolendas, al ver que sus padres querían maltratarlo decide abandonar la casa paterna considerando que «no había menester ir más a la escuela porque aunque no sabía bien escribir, para mi intento de ser caballero, lo que se requería era escribir mal, y que así, desde luego, renunciaba la escuela por no darles gastos, y su casa para ahorrarlos de pesadumbre».[8] Su orfandad se realizará cuando esté a punto de alcanzar la edad adulta.

Justina, que es obligada a realizar a toda costa las órdenes de sus padres, no escapa del castigo corporal, recibiendo de su progenitor más de un

---

7. *Guzmán,* p. 98.
8. *Buscón,* p. 30.

golpe[9] acompañado de consejos oportunos para que la muchacha, moza de mesón a fin de cuentas, pueda sacar provecho de su oficio. De su madre hereda una visión, más interesada, si cabe, de la vida, por lo que, huérfana de uno y otra no expresa un dolor muy profundo: «Lloré la muerte de mamá algo, no mucho, porque si ella tenía tapón en el gaznate, yo le tenía en los ojos y no podían salir las lágrimas»;[10] a fin de cuentas, la muerte de sus progenitores es considerada por la pícara como una liberación.

Singular se presenta el caso de Periquillo el de las gallineras, huérfano en dos ocasiones, ya que si sus verdaderos padres lo abandonan en la puerta de un hospicio, su madre adoptiva va a morir cuando él todavía es joven. La despedida de Faustino, su padre adoptivo, en el umbral de la muerte, los sumirá en un diluvio de lágrimas: «—Acabó Faustino, vertiendo tanto golpe de lágrimas que bastaron a anegar a Pedro, formando un llanto tan amargo entre los dos, que aun las piedras miraban pesarosas de tener tan dura materia y no poder acompañarlos».[11]

La necesidad de contacto con los padres en el seno del hogar será uno de los motivos principales que llevarán a Mateo Alemán a escribir su obra o, cuando menos, así se puede deducir de sus pala-

---

9. «Una noche que se me antojó ir por vino a una taberna que estaba junto al cementerio, me sepultó mi padre el jarro en las espaldas, y alegando que llevaba salvoconducto de mi madre, fue a ella y la jarreó en las costillas, y nos dejó tales a ella y a mí, que, a puro gastar incienso macho en bizmarnos, quedamos oliendo a vísperas por más de medio año» (F. López de Úbeda, *La pícara Justina,* en *La novela picaresca,* ob. cit., t. I, p. 920).

10. *La pícara Justina,* p. 933.

11. F. de Santos, *Periquillo el de las gallineras,* en *La novela picaresca,* ed. cit., t. II, p. 968.

bras: «Dándonos a entender con demostraciones más infalibles el conocido peligro en que están los hijos que en la primera edad se crían sin la obediencia y doctrina de sus padres».[12]

El niño-pícaro no goza, en la mayoría de las ocasiones, del afecto parental y cuando se da este supuesto la muerte de los padres o el abandono del hogar influía, en lo psíquico, de modo notoriamente perjudicial. Pero el amor entre sus progenitores, que debía ser una lección fundamental en la educación y en el desarrollo de su afectividad, brilla también por su ausencia.

Cuando el padre de Lázaro muere, o quizás antes, su madre opta por vivir maritalmente con Zaide; Guzmán ignora su ascendencia masculina; los padres de Pablos han de ser pacificados por éste cuando están decidiendo sobre el oficio del chico y acerca de los sentimientos del padre de Estebanillo hacia su madre, tras la muerte de ésta, el asunto queda zanjado en unos términos poco edificantes: «Después de haber hecho los funerales, ahorcado los lutos y enjugado las lágrimas (aunque no fueron más que amagos, pues se quedaron entre dos luces), volvió mi padre a su acostumbrada pintura».[13]

En el tema del amor, respeto mutuo y dedicación personal al otro cónyuge sólo son ejemplares los padres adoptivos de Periquillo, «piadosos casados, virtuosos, amantes y temerosos de Dios»,[14] pues de sus verdaderos progenitores sólo puede colegirse mutuo acuerdo para el abandono del niño

---

12. A. de Barros, «Preliminares» a *Vida de Guzmán de Alfarache,* ob. cit., p. 64.
13. *Estebanillo,* p. 2.
14. *Periquillo,* p. 963.

recién nacido, un acto a caballo entre la caridad y el egoísmo.

Menores muestras de amor y respeto da Pedro de la Trampa a Olalla, madre del Bachiller Trapaza, pues aparte de privarla de su entereza, lo niega repetidamente llegando a sentir por ella auténtico odio: «Aborreció Pedro en tanta manera a quien antes aplaudía y celebraba, que propuso morir antes que ser su marido».[15]

Cierto que esto no lo conoció el joven pícaro, como parece desprenderse de la obra, pero no lo es menos que casos similares se daban muy a menudo en la sociedad y quedaron patentes en la novela y el teatro. Las especiales relaciones de los padres no son causa directa del desarraigo de los pícaros, pero influyen en su educación y en su forma de encarar la vida.

No podía ser de otro modo, si se tiene en cuenta la escasa o nula formación cultural de las clases sociales donde se gestan los pícaros reales y literarios. En este sentido el nivel de las madres de nuestros pícaros apenas alcanza el conocimiento de las labores propias del hogar. El analfabetismo, mal endémico peninsular hasta la historia más reciente, estaba muy extendido durante los siglos de oro y era prácticamente general entre las mujeres. Contado era el número de las que sabían leer y escribir con corrección, por lo que resulta difícil encontrar alguna de tales características en las novelas del género picaresco.

La madre de Justina, retratada por ésta como

---

15. A. de Castillo y Solórzano, *Aventuras del Bachiller Trapaza,* en *La novela picaresca,* ed. cit., t. II, p. 432. Ignoro hasta qué punto puede considerarse esta frase una paráfrasis de la actuación de san Pedro en la noche de la Última Cena.

«un águila», no posee más conocimientos que su padre, y ambos «no sabían otros jeroglíficos sino jacarandina, ni otras *sciencias* sino conjugar a *rapio rapis* por *meus, mea, meum*».[16]

M. de Zayas describe la educación de una de sus protagonistas de alto rango y pretensiones haciendo acopio de todo aquello que se estima necesario para su formación integral:

> Tras las virtudes que forman a una persona virtuosamente cristiana, los ejercicios honestos de leer, escribir, tañer, y danzar, con todo lo demás competente a una persona de mis prendas y de todas aquellas que los padres desean ver enriquecidas a sus hijas.[17]

Pero casos como éste son excepcionales. Las madres de nuestros pícaros, lejos de plantearse tal tipo de educación, han de ir a lo práctico, es decir, dedicar sus energías a las labores domésticas o a algún oficio poco remunerado como el de hechicera (la madre de Pablos), vaquera (la abuela de Teresa), sirvienta de mesón (las madres de Justina, Teresa y Lázaro), comadrona (la madre de Gregorio Guadaña) y, en fin, beatona, si puede considerarse como oficio, la madre de Andrés.

La prostitución, declarada u oculta es, quizá, la más abundante entre las ocupaciones a que se entregan y con ello, al tiempo que se convierten en ejemplo poco edificante, abren un camino para sus hijas.

Si se repasa el tipo de trabajo efectuado por los padres, el abanico de posibilidades se amplía: el de

---

16. *La pícara Justina,* p. 927.

17. La esclava de su amante, en *Novelas exemplares y amorosas* (ed. de E. de Ochoa), t. II, París, 1847, p. 1.340.

Lázaro fue molinero; el de Pablos, barbero y ladrón; el de Guzmán, usurero; el de Cortadillo, sastre; el de Rinconete, buldero; el de Carriazo, un burgués acomodado; el de Elena, lacayo; el de Justina, mesonero; el de Teresa, buhonero y lacayo; el de Estebanillo, pintor; el de Gregorio Guadaña, que parece ser el más culto, doctor.

Sin embargo, la profesión de los padres bien poco va a motivar la actividad de los hijos, si no es en el caso de Elena, pues ninguno de ellos seguirá el ejemplo paterno.

El más explícito y divertido es el ejemplo de Pablos, cuyos padres disputan la conveniencia de que el chico siga el oficio que cada uno de ellos ejerce por creer que el propio es más provechoso. Mientras Clemente lo invita a convertirse en ladrón porque a él debe su madre el sustento, ella opina que la brujería es más remunerativa y eficaz, pues con su auxilio ha podido sacarlo de la cárcel y evitar que confesara sus delitos: «Yo os he sustentado a vos, y sacádoos de las cárceles con industria, y mantenídoos en ellas con dinero. Si no confesábades, ¿era por vuestro ánimo o por las bebidas que yo os daba? ¡Gracias a mis botes!».[18]

Está claro que Quevedo caricaturiza uno y otro oficios, pero no lo está menos que el pícaro determina no hacer caso de los consejos de sus progenitores para seguir una senda propia:

> Hubo grandes diferencias entre mis padres sobre a quién había de imitar en el oficio, mas yo, que siempre tuve pensamientos de caballero desde chiquito, nunca me apliqué a uno ni a otro.[19]

---

18. *Buscón,* p. 23.
19. *Ibíd.,* íd.

Hay una preocupación, ciertamente, de los padres por los niños-pícaros, una preocupación que va pareja a su afecto, si bien el grado de realizaciones es desigual.

Las orientaciones teóricas se suceden en todos o casi todos los pícaros, aunque la ejemplaridad está muy lejos de ser verdaderamente positiva.

La madre de Gregorio Guadaña prefiere descuartizar a su hijo, aún nonato, antes que morir por él, y muy pocas son las madres de pícaros que anteponen la felicidad de los hijos a la suya propia, siendo capaces, por supuesto, de aconsejar a sus hijos a obrar en contra de la moral imperante.

El padre de Pablos encomiará exacerbadamente el oficio de ladrón a fin de que el chico lo siga: «hijo, esto de ser ladrón no es arte mecánica, sino liberal».[20]

En fin, toda la preocupación de Antona por Lázaro se resume en criarlo y ponerlo con alguien que lo sustente y no lo maltrate: «Y que le rogaba me tratase bien y mirase por mí, pues era huérfano».[21]

A su vez, la preocupación del padre de Estebanillo por el chico, conocida su habilidad para irse con el dinero ajeno convirtiéndolo a él en forzado pagador de sus fechorías, se concreta en estas palabras: «que aquella misma tarde me había de buscar quien me enseñase oficio, aunque le costara cualquier cantidad, porque no quería que durmiese en su cama ni que estuviese en el contorno de ella».[22]

Algo más completa es la enseñanza que Justina

---

20. *Ibíd.*, íd.
21. *Lazarillo,* p. 46.
22. *Estebanillo,* p. 19.

recibe de su madre, «barrer y limpiar, no sólo la casa, pero que las bolsas y alforjas de los recueros y aceiteros, que son más sucias que ojos de médico y nido de oropéndolas. Muchos puedo contar a quienes el celo de enseñar sus hijos los ha hecho maestros de todo el mundo, especialmente en Egipto».[23] Sin embargo, tal formación se ajusta poco al modelo que se propone en *La esclava de su amante* de M. de Zayas. Con todo, y puesto que es Justina quien ha escrito la obra, ha de suponerse que la muchacha aprendió a leer y escribir durante su infancia animada por sus familiares.

También resulta significativa en el aspecto educacional la muerte de los padres, muy poco ejemplar en la mayoría de las ocasiones.

Pocos serán los pícaros que guarden un recuerdo edificante de la muerte de sus progenitores y, desde Lázaro, cuyo padre muere en galeras, hasta Estebanillo, cuya madre deja de existir por causa de un insatisfecho antojo de hongos, apenas se van a salvar los padres adoptivos de Pedro, que resultan de este modo excepcionales en la literatura picaresca.

La muerte más denigrante y macabra viene a ser la del padre de Pablos, comentada fríamente por su propio hermano: «Cayó sin encoger las piernas ni hacer gesto; quedó con una gravedad que no había más que pedir. Hícele cuartos, y dile por sepultura los caminos».[24]

Por semejante derrotero camina su madre, ya que va a ser juzgada por bruja y hechicera en Toledo, donde su muerte, al ser reincidente, parece segura: «Dicen que representará en un auto el día de

---

23. *La pícara Justina*, p. 927.
24. *Buscón*, p. 68.

la Trinidad, con cuatrocientos de muerte. Pésame, que nos deshonra a todos».[25]

De esta forma no puede extrañar que Pablos, al tiempo que reconoce la categoría de los vicios de ambos ascendientes, sienta un cierto tipo de alivio al verse libre del lastre que su parentesco le suponía: «No puedo negar que sentí mucho la nueva afrenta, pero holguéme en parte: tanto pueden los vicios en los padres, que consuelan de sus desgracias, por grandes que sean, a los hijos».[26]

Muy poco digna, verdaderamente ridícula, es la forma de morir de los padres de Justina, él tras recibir un golpe en la nuca con una medida para la cebada de las caballerías, y ella con un hartazgo de longaniza mal masticada, de forma que tanto el modo de vida como la denigrante muerte de los padres se convierte en una vergüenza o en una excusa para justificar los vicios y picardías de los hijos.

No más edificantes son las relaciones de los pícaros con otros miembros de su familia, hermanos, tutores, tíos, abuelos, etc.

Exceptuando tres o cuatro casos, los pícaros son hijos únicos, y solamente en la *Vida de Gregorio Guadaña* se habla de primos, aunque con ellos se evite toda específica relación. Son un simple pretexto para extender su irónica genealogía. Ni siquiera se admite la presencia de vecinos con quienes compartir unas relaciones para-familiares entrañables. Es más, como se ha de ver más adelante, apenas goza el picaruelo de la compañía de verdaderos amigos con los que descubrir las excelencias de la entrega desinteresada, y las relaciones con otros

25. *Ibíd.,* p. 69.
26. *Ibíd.,* íd.

miembros de la familia van a ser desamoradas, frías, ausentes de cariño.

Entre Lázaro y su hermanastro, por la diferencia de edad y por la brevedad de su contacto, no hubo más que una comunicación cuasi-irracional, pues el picaruelo se ausentó muy pronto del hogar.

La preocupación de Quevedo por dejar solo a Pablos lo lleva a quitar de en medio, de cualquier forma, a su hermano: «Un mi hermanico de siete años [...] murió el angelico de unos azotes que le dieron en la cárcel».[27]

Ésta es la misma causa, y casi el mismo modo de eliminar al hermano de Andrés, condenado a morir el mismo día que sus padres: «Los condenaron a muerte, juntamente con otro hermano mío y un sobrino de mi madre».[28]

En cuanto a Estebanillo, la relación con sus hermanas pasa por tres etapas completamente distintas. En la primera, la mayor de ellas lo sermonea de manera insufrible, expresándole que en honor a su linaje debe observar un comportamiento intachable, no olvidándose tampoco de usar el castigo corporal si le parecía necesario: «Cada día andaba al morro o había quejas a mi padre o a mis hermanas. Tenía a cargo la mayor de ellas el castigarme y reprehenderme».[29]

En la segunda etapa utiliza a su padre para que ellas le den de comer, y en la tercera, sabiendo de antemano que su progenitor estaba ausente, las obliga a servirlo a cuerpo de rey valiéndose de la fuerza.

---

27. *Ibíd.*, p. 22.

28. C. García, *La desordenada codicia de los bienes ajenos,* en *La novela picaresca,* ed. cit., t. II, p. 107.

29. *Estebanillo,* p. 2.

Las relaciones no son las que se suponen normales entre hermanos en ninguna de las tres etapas. El rompimiento con las chicas se expresa en los términos de una batalla campal de tipo casero: «Dándole a la mayor con los platos, y a la menor con el frasco, y echando a rodar la mesa, las dejé a las dos descalabradas».[30]

Es el ejemplo más drástico de la nulidad de las relaciones fraternales, aunque las de Justina con sus hermanos presentan matices semejantes:

> El llorar de veras fue cuando vinieron mis hermanos, rompidos de vergüenza, y sin ninguna nos tomaron a mí y a mis hermanas los cetros del imperio, que eran las llaves de casa, y nos ganzuaron arcas y buchetas [...] Para lo cual no tuvimos otra defensa ni remedio sino soltar la rienda al lloro y madurar los tragantones pasados.[31]

La carencia de hermanos, por otra parte, puede interpretarse como un deseo consciente de los autores de nuestra picaresca por resaltar la figura del pícaro, a quien se libera de competencia en su mismo hogar. Pero también caben otras posibilidades no menos dignas de análisis. Si el futuro pícaro fuese el mayor de los hermanos, a la muerte de sus padres deberían responsabilizarse de ellos, como ocurrirá en algunas novelas del XIX que presentan tipos apicarados en situaciones de máxima depauperación. En esa hipótesis hubieran obligado al pícaro a envejecer prematuramente o a abandonar el compromiso convirtiéndose en un desalmado, lo que no casa en absoluto con su psicología.

30. *Ibíd.*, p. 26.
31. *La pícara Justina*, pp. 934 y 945.

Justina, que es la mayor —al menos de las chicas de su familia—, se ve rodeada por una serie de circunstancias que la liberan de hacerse cargo de sus hermanos, ya adultos, por lo que puede desgarrarse sin cargos de conciencia:

> Muertos, pues, mi padre y mi madre y entregados mis hermanos en el cuerpo de la hacienda, y aun en el alma de ella que es la bolsa, sin decir más misas por sus ánimas que si murieran comentando el *Alcorán* o haciendo la *barah* tomé ocasión de andarme de romería en romería.[32]

Si, por el contrario, el futuro pícaro no fuese el mayor, se vería sometido a la tutela de quien ocupase tal posición, y ambos —seguramente *todos* los hermanos— pasarían a errar por las calles o a alguna de las instituciones públicas, tal como ocurre en el caso de Ginés Márquez y su hermano, acogidos al colegio xericense de la doctrina cristiana:

> El elenco de una población de catorce acogidos fácilmente alargable a la quincena si se tiene presente que el Ginés tenía otro hermano [...] que tan solo llevaba acogido en la casa un año escaso.[33]

Las posibilidades de viaje y de acción para un picarillo que tuviera que cuidar de sus hermanos o subordinado a ellos, quedarían excesivamente restringidas, y su desenvolvimiento social y moral mediatizado, razón por la que los pícaros suelen ser o aparecer como hijos únicos, incluso en el caso de verse sometidos a la tutela de unos padres adoptivos.

---

32. *Ibíd.*, p. 940.
33. H. Sancho de Sopranis, ob. cit., t. I, p. 60.

En este último supuesto, los de Periquillo destacan sobre los padres naturales de todos los pícaros por su respeto, cariño mutuo y ejemplaridad moral, humana y cristiana.

A tal punto llega su dedicación y amor al niño que lo adoptan como hijo y lo convierten en legal heredero de sus bienes: «Sus amantes dueños le prohijaron, haciéndole heredero de su hacienda».[34]

Pero esta situación de armonía y dicha familiar impide el desarraigo y el inexcusable viaje del pícaro, por lo que Francisco Santos se preocupa de hacerla durar breve tiempo: un incendio acaba con los bienes materiales de la familia y, en resumidas cuentas, con Teodora. El tópico de la veleidad de la Fortuna se introduce en la novela y da un giro completo a la vida de Periquillo que, privado de padres y de cualquier tipo de parentela, ha de aceptar la primera oferta de trabajo recibida, con lo que se iniciará su etapa adulta.

Sí recibe la influencia emocional de otros parientes Alonso, pues al quedar viuda su madre, temerosa de que el joven pudiera resultar malcriado en el propio hogar, lo envía con un hermano suyo, sacerdote, a una aldea lo suficientemente alejada, seguramente porque así puede despreocuparse de su formación. En ese lugar apartado de la geografía andaluza el muchacho va a sufrir lo indecible madrugando, durmiendo poco, caminando mucho y soportando la aspereza de un ama setentona y colmilluda que jamás le dedica una palabra amable. Con todo, el avariento cura, discípulo aventajado del clérigo de Maqueda, se decide a enseñarle unos conocimientos básicos de gran utilidad, que el narrador especifica así: «Diome mucha priesa para que de-

34. *Periquillo el de las gallineras,* p. 996.

prendiese a leer, ayudar a misa, cantar en la tribuna y tañer las campanas».[35]

Pero todo ello, según advierte el joven, para poder ahorrarse el sacristán, y no sin recibir las tandas de azotes que su tío tenía a bien propinarle.

La formación de Alonso bajo la tutela de su tío no desmerece la ironía del viejo refrán castellano «la letra con sangre entra». El cura maltrata físicamente a su sobrino en la creencia de que por tal medio se hará más aplicado y menos olvidadizo. Con ello «no había juro más cierto que una docena de azotes para mí en saliendo el alba, o por no saber la lección de la noche antes, o por no traer la plana tan buena como había de venir».[36] Ante este trato el muchacho decide abandonarlo aunque sabe que desde ese momento vivirá de la caridad pública y de su industria.

También Gil Blas de Santillana, protagonista de la novela que lleva por título su nombre, está a las órdenes de un tío clérigo pero, a pesar de que la obra está totalmente basada en la picaresca española hasta el punto de que se podría definir como novela de retales, su retrato es bien diferente. Mientras el tío de Alonso es una *picaza* por su idea del ahorro en todos los sentidos, el de Gil, persona de carácter bondadoso, se presenta como un típico goliardo, como aficionado a la buena mesa:

> Por lo demás, era un eclesiástico que sólo pensaba en darse buena vida; quiero decir en comer y en tratarse bien, para lo cual le suministraba suficientemente la renta de su prebenda.[37]

---

35. *El donado hablador,* p. 146.
36. *Ibíd.*, pp. 146 y 147.
37. Le Sage, *Gil Blas de Santillana,* Barcelona, Iberia, 1962, p. 7.

Volviendo a nuestra picaresca, el tío de Pablos, de quien poco provecho puede recibir por ser verdugo, borracho y pendenciero, ha conservado la herencia que el padre del muchacho había dejado en su poder, pensando que con ella llegaría a hacerlo cardenal. Por otra parte, se le ofrece incondicionalmente, en su pobreza, y le desea lo mejor: «Dinero llevas; yo no te he de faltar, que cuanto sirvo y cuanto tengo, para ti lo quiero».[38]

Gregorio Guadaña, que es el mejor provisto de parentela, dispone de dos tíos, uno por parte de su padre, de quien sólo se puede decir, en palabras de su sobrino, que era un boticario redomado. El otro, un verdadero científico pragmático, era un auténtico vampiro, y de ninguno de ellos se advierten influencias, como tampoco de su bisabuelo ni de su bisabuela, cuya inclusión en la obra sólo servirá para instalar al muchacho «dentro de una mediocridad de estado [...] un ambiente familiar burgués y [proporcionarle] una marca neutra de casta».[39]

Sí va a tener importancia, sin embargo, la intervención del abuelo de Trapaza, preocupado por el muchacho desde que conoció la situación de embarazo en su hija. A fin de proceder a una educación más completa del chico no le importa mudar de residencia e irse a vivir a Segovia, dejando su ganado y sus bienes en Zamarramala.

No contento con que reciba los primeros estudios, pone a su nieto en las manos de la Compañía de Jesús y por último decide enviarlo a Salamanca, aconsejándole de la mejor manera posible: «Será

38. *Buscón,* p. 104.
39. C. de Fez, *La estructura barroca de «El Siglo pitagórico»,* Málaga, Cupsa, 1978, p. 136.

bien que os ajustéis a tratar no más que de estudiar y de valer por vuestro ingenio».[40]

Sin embargo, ni las instrucciones del abuelo ni las recomendaciones de su madre van a sufrir efecto, pues el pícaro, en cuanto se ve solo y con dinero, decide dedicarse a lo que verdaderamente le llama la atención, el juego: «Pero al mismo paso que se iba alejando de su patria se le alejó la memoria de eso y la juventud y mala inclinación al juego hicieron su oficio».[41]

También Justina habla de sus abuelos en repetidas ocasiones, aunque no se proporcionan datos de su relación con ellos.

El único legado que recibe por esta vía es su afición a la música, heredada de un tatarabuelo materno, gaitero y tamborero oriundo de Malpartida de Cáceres. Tal herencia la convierte, con un adufe en las manos, en una Orfea, capaz de hacer bailar, como el personaje mítico, a la más bronza, bronca, zafia, pesada, encogida y tosca de las mozas montañesas.

Dentro del núcleo familiar puede considerarse a Zaide, amante de Antona Pérez, a quien Lázaro califica como padrastro, y ante quien, en principio, no se siente a gusto, pero viendo que con su presencia mejoraba la alimentación, sus sentimientos también lo hacen, llegando a sentir cariño por él:

> Yo al principio de su entrada pesábame con él y habíale miedo, viendo el color y mal gesto que tenía; mas de que vi que con su venida mejoraba el comer, fuile queriendo bien.[42]

---

40. *Aventuras del bachiller Trapaza,* p. 435.
41. *Ibíd.,* íd.
42. *Lazarillo,* p. 44.

No obstante, su ejemplaridad moral deja mucho que desear pues, aparte de lo dicho, se proporcionaba los medios de alimentación —y esto no lo ignora el chico— mediante la sisa a sus dueños.

El caso de Cortadillo es todavía más penoso, y será esta circunstancia (desaparición de la madre) uno de los motivos de su desgarro. El trato de su madrastra, que parece haber modificado la tendencia natural de su padre al amor por el hijo propio, determinará que no quiera saber nada de ellos ni de su tierra, tal y como se desprende de un par de afirmaciones del chico: 1) «Mi tierra no es mía, pues no tengo más que un padre que no me tiene por hijo y una madrastra que me trata como alnado»,[43] 2) «Enfadóme la vida estrecha de la aldea y el desamorado trato de mi madrastra».[44]

La orfandad, el desgarro, la falta de amor de los padres, la escasez de hermanos y de otros miembros familiares próximos, harán que, en todos los casos, la posible influencia positiva del hogar sea escasa o nula en la vida del niño-pícaro.

Excepción hecha de Faustino, padre adoptivo de Periquillo, será necesario cubrir con un velo la propia ascendencia y, sobre todo, la manera de morir los más allegados. Ph. Ariès va a condensar el hecho familiar en estos términos inequívocos:

> L'enfant echappait très tôt à sa propre famille, même s'il devait y revenir plus tard, devenu adulte, et ce n'était pas toujours le cas. La famille ne pouvait donc alors alimenter un sentiment existentiel profond entre les parents et les enfants. Cela ne signifiait pas que les parents n'aimaient pas leurs enfants, mais ils ne s'en occupaient moins pour eux-

---

43. *Rinconete y Cortadillo,* p. 195.
44. *Ibíd.,* p. 197.

> mêmes, pour l'attachement qu'ils leur portaient, que pour le concours de ces enfants à l'oeuvre commune à l'établissement de la famille. La famille était une réalité morale et sociale, plutôt que sentimentale.[45]

Si con estas palabras se manifiesta la situación general de la familia en los siglos XV y XVI, muy bien se puede extender, por lo hasta ahora tratado, a las de los pícaros de nuestra literatura de los siglos de oro, de cuyo seno se arrancarán sin excesivo dolor.

Una vez alejados de padres y parientes, sólo dos pícaros van a regresar a casa, y por períodos muy breves, además: Carriazo y Estebanillo. Los demás han perdido o decidido abandonar para siempre todo lo que sepa a lazos familiares.

La institución escolar, la Unive sidad

La Iglesia era en términos generales, a principios del siglo XVI, la única institución que se preocupaba por la educación y la enseñanza en el mundo infantil y juvenil. A ella, por tanto, incumbía la función de la vigilancia y el mantenimiento del profesorado y de los medios. Los colegios, por ejemplo, surgían allí donde algún eclesiástico preocupado por el tema manifestaba al ayuntamiento, al arzobispado o a los personajes notables de la ciudad, su necesidad.

En este aspecto cabe subrayar la actividad de la Compañía de Jesús, de los mercedarios, los trinitarios, los carmelitas, y, en Andalucía, a san Juan

---

45. *L'enfant et la vie familiale sous l'Ancien Régime,* París, Du Seuil, 1973, p. 258.

de Ávila, verdadero promotor del desarrollo moral e intelectual de la zona.

Los colegios se instalaban generalmente en un lugar céntrico, y si esto no era posible, se acomodaba a los niños donde se podía, a veces en un local anejo a la iglesia, en un patio, en el pórtico de un templo, cualquier sitio se consideraba con las condiciones mínimas exigidas:

> L'école ne disposait pas alors de vastes locaux. Le maître s'installait dans le cloître qu'il avait débarrassé des commerces parasites, ou encore dans l'église ou à la porte de l'église. Mais plus tard [...] il se contentait parfois d'un coin de rue quand il n'avait pas assez de ressources.[46]

El local donde se ubica la escuela, en una época en que muchas familias apenas tenían un techo con que cubrir sus cabezas, era lo de menos, y los alumnos se contentaban con bien poco.

Pese a todo, las exigencias van multiplicándose con el tiempo, de tal manera que cuando se quiere proveer a Jerez con el colegio de Santa Cruz, Jerónimo Dávila se opone enérgicamente a que «la obra de más calidad que Jerez podía hacer se edificara donde todas las ynmundicias y estiércoles de la cibdad se echan».[47]

Claro que ese era un colegio de estudios superiores, que exigía una gran obra, un enorme aporte de medios y un profesorado capaz que proveyese al alumnado de doctrina sana, esperando que en un futuro próximo surgirían los clérigos dispuestos a continuar en la misma tarea.

---

46. *Ibíd.,* id.
47. H. Sancho de Sopranis, ob. cit., t. I, p. 28.

Los niños, en su mayoría huérfanos, recogidos en los colegios de la Doctrina Cristiana e instituciones similares, exigían mucho menos; en fin, lo que les proporcionaban sus bienhechores: «i el sitio que tiene es su casa puerta i dos patios i la capilla donde se dize misa i cinco aposentos pequeños dos en alto y tres en baxos».[48]

Las Casas de Misericordia, por las que diversos personajes de la época se preocuparon con una dedicación realmente encomiable y, en muchos aspectos adelantándose a su época, no eran otra cosa que «asilos puramente seculares abiertos de par en par y además, en parte, talleres para obreros sin trabajo y escuelas, pero ante todo son el hogar, el colegio y la Iglesia de los verdaderos mendigos».[49]

A este tipo de escuelas, tan primitivas, asistieron nuestros pícaros reales y literarios, si bien ellos en exclusiva, porque las niñas se habían de contentar con un tipo de educación más en consonancia con su sexo,[50] siendo dispensadas de asistir al centro escolar.

Sobre estas escuelas en donde las muchachas apenas tienen cabida, la literatura picaresca aporta muy pocos datos.[51] Su descripción se pasa por alto,

---

48. *Ibíd.*, íd.

49. M. Bataillon, *Pícaros y picaresca,* Madrid, Taurus, 1969, p. 25.

50. Esto no quiere decir, de ningún modo, que la mujer de los siglos de oro rechace la formación intelectual. Hernando de Talavera presenta a un tipo de mujer deseosa de conocimientos, lo que, a su modo de ver, es un defecto: «Digo que es natural a las mujeres la cobdicia del saber, porque aquella cosa es naturalmente más cobdiciada de que tenemos mayor falta. Pues como tenga comúnmente el entendimiento y la discretiva más flaca que los varones, parece no sin causa quieren suplir su defecto, el cual suple sabiendo» (*Tratado de vestir y calzar,* t. XVI, Madrid, Biblioteca de Autores Españoles, 1946, p. 60).

51. El problema de la escasez de datos sobre escuelas y sobre la infancia en general no es exclusivo de la picaresca; Rodrigo Caro,

y apenas se pueden conocer algunos aspectos más o menos caricaturizados de lo que en ellas ocurría, gracias a la pluma de Quevedo y Estebanillo González. Por este medio advertimos que cualquier época era buena para empezar a asistir a clase o, cuando menos, así lo deja entrever Pablos cuando comenta que «a otro día ya estaba comprada cartilla y hablado el maestro».[52]

Recién ingresado en el centro escolar comienza el pícaro a investigar de qué modo puede sacar mayor partido a todo lo que hay a su alrededor, tanto a los profesores como a los compañeros. Como goza de mayor libertad que sus condiscípulos y no le atraen demasiado las incomodidades de la propia casa, se permite el lujo de ser el primero en llegar, buscando así hacerse con la vara o palmeta con la cual aplicar los castigos ordenados por el maestro. Esto no es sino el primer eslabón hacia la picardía, aunque debe tenerse en cuenta que de no haber sido Pablos el más madrugador —una virtud, entre las pocas que se encuentran en los pícaros— otro habría ocupado su lugar como ocurría en ese tipo de instituciones escolares.[53]

Muy interesante desde el punto de vista sociológico es la temprana amistad de Pablos con el hijo

---

en sus *Días geniales o lúdicros* comenta por boca de don Pedro que se echa en falta a alguien que «dejando caer la pluma entre los muchachos de la escuela, que juntos en sus cabildos los imagino dar justas quejas, que siendo ellos la felicidad de los tiempos, las esperanzas de las repúblicas, para cuyo aumento antiguamente se hicieron la ley Papia y Julia, y otras muchas *De prole augenda,* no hay en este tiempo quien escriba y celebre sus cosas» (Ed. de J.P. Etienvre, t. II, Madrid, Espasa-Calpe, 1978, p. 169).

52. *Buscón,* p. 25.

53. Sobre el tema del castigo corporal en las escuelas de la época Ph. Ariès observa que *tous les enfants et les jeunes, quelle que fût leur condition, étaient astreints au régime commun, et recevaient les verges* (ob. cit., p. 201).

de don Alonso Coronel de Zúñiga, que permite pensar que la escolarización no estaba limitada a los niños de las clases altas, sino que a ella tenían acceso niños de otras clases, acaso de todas. El maestro recibe a Pablos con los brazos abiertos, y ello conociendo, como así debía ser, los antecedentes penales y la profesión de sus padres, habida cuenta de que en los pueblos y ciudades pequeñas todos sus habitantes se conocen: «recibióme muy alegre, diciendo que tenía cara de hombre agudo y de buen entendimiento».[54]

Las actividades escolares variaban si el chico estaba en condición de interno o si lo hacía como externo. En el segundo supuesto, cuando el muchacho vivía muy lejos de la escuela, se le suministraba el almuerzo de mediodía a fin de que no perdiese la mayor parte del tiempo en el trayecto. A todos se les proporcionaban los conocimientos básicos de lectura, escritura y las operaciones fundamentales de la aritmética, en un horario partido que suponía las sesiones de mañana y tarde: «se admitían niños desde los cinco años y además de enseñarles gratuitamente a leer, escribir y contar, recibían instrucción religiosa bajo la dirección de un profesor especial llamado doctrinero dedicando media hora por la mañana y otra media por la tarde al estudio del catecismo cantado y en verso».[55]

El recitado y el canto a coro eran los medios más comunes de aprendizaje.[56] Las exigencias de

54. *Buscón,* p. 25.

55. H. Sancho de Sopranis, ob. cit., t. I, p. 55.

56. Algo que ha perdurado hasta a anuestros días, como retrata el famoso poeta machadiano: «Con timbre sonoro y hueco / truena el maestro, un anciano / mal vestido, enjuto y seco, que lleva un libro en la mano. // Y todo un coro infantil / va cantando la lección; / mil veces ciento, cien mil, / mil veces mil, un millón» (A. Machado, *Poesías Completas,* Madrid, Espasa-Calpe, 1965, p. 26).

la rima consonante facilitaban en grado sumo la tarea escolar, y es quizás ésta una de las causas por las que se suponía que cada español llevaba una comedia en verso bajo el brazo.

Por su parte, como se verá más adelante, muchos de los pícaros gozaron de una vena poética popular nada despreciable.

En los internados las actividades comenzaban al amanecer, y los niños allí recogidos, cuando eran de familias humildes, o huérfanos, habían de repartir el día entre las horas de clase, el estudio y los paseos callejeros para obtener en la caridad pública lo necesario para el sostenimiento:

> Podemos reconstruir a grandes rasgos la jornada de estos pobres niños doctrinos de Jerez [...] Levantábanse temprano y una vez vestidos salían a oír misa en comunidad [...] Después, vueltos a casa, los designados a pedir durante aquella semana tomaban las árgueras e iban recorriendo los sitios más frecuentados de la ciudad [...] las casas de algunos bienhechores, mientras los otros hacían ciertos menesteres de la casa y aprendían de memoria la doctrina cantándola a coro. Al filo de las doce volvían a casa y el maestro abría las árgueras y echaba el contenido en la bolsa; comíase parcamente [...] y a la tarde tras el descanso de la siesta volvían a salir los demandantes, mientras que los que en el hospital se quedaban aprendían a leer, y a contar y los que para ello mostraban aptitud, también a escribir [...] Unas veces todos y otras un grupo, tenían que salir a los entierros para los que se les convidaba [...] A veces, en tiempo de recolección de granos o vendimias, el maestro y algunos de sus muchachos con bestias que la buena voluntad de algunos bienhechores ponía a la disposición del colegio, iban por

las eras y los viñedos recogiendo trigo, cebada o mostos.[57]

En tales instituciones las relaciones profesor-alumno son las normales de la época, sobre todo si se tiene en cuenta que el niño no goza de las prerrogativas y derechos de que disfrutaría más tarde. El maestro era, aparte de un profesional de la enseñanza, educador moral, juez y verdugo.

Los procedimientos utilizados para hacer que sus órdenes se cumpliesen a rajatabla eran expeditivos, valiéndose ya del alumno más madrugador —como hemos visto—, ya de las propias manos: «Y defendióme el maestro de que no me matase, asegurándoles de castigarme. Y así luego [...] mandóme desatacar, y, azotándome, decía tras cada azote: ¿Diréis más Poncio Pilato?».[58]

El régimen de disciplina establecido en las escuelas era muy duro, e iba incrementando su rigor con el paso del tiempo. El autoritarismo ejercido en el plano político y eclesial se manifestaba también en el aspecto escolar, donde el maestro ejerce todos los poderes: «La punition corporelle se généralise en même temps qu'une conception autoritaire, hierarghisée —absolutiste— de la societé».[59]

En cuanto niños, y por tanto, seres inferiores, todos, de todas las clases sociales, estaban sometidos al mismo trato. Tal vez por recibir este desmesurado castigo corporal muchos de los escolares abandonasen la escuela y con ello la instrucción más elemental, pasando a engrosar el número de los analfabetos.

---

57. H. Sancho de Sopranis, ob. cit., t. I, p. 55.
58. *Buscón,* p. 27.
59. Ph. Ariès, ob. cit., p. 201.

Sin embargo, Quevedo aporta una serie de detalles recordatorios de que los maestros también sabían estar de buen humor, que sabían perdonar y que sabían reconocer cuándo el alumno llevaba razón.

El maestro de Pablos, se observó antes, lo recibe alegremente, y poco más tarde, cuando el chico descalabra al compañero que había dicho dos palabras acerca de la virtud de su madre, tras recibirlo con aspecto fiero «oyendo la causa de la riña, se le aplacó el enojo, considerando la razón que había tenido».[60] Y más adelante, tras el asunto del supuesto confeso al que Pablos llamó Poncio Pilatos, cuando el chico modifica, durante el recitado del Credo, el apellido del gobernador romano, cambiándolo por el de Poncio de Aguirre, el maestro no puede contener la carcajada ni la generosidad: «Diole al maestro tanta risa de oír mi simplicidad y de ver el miedo que le había tenido, que me abrazó y dio una firma en que me perdonaba de azotes las dos primeras veces que lo mereciese».[61]

También nos permite saber Quevedo que el maestro no se dedicaba exclusivamente a su tarea dentro del recinto escolar, sino que su acción e influencia sobrepasa las materias instructivas y se distiende a los términos, cuando menos, de la barriada.

Su preocupación por el divertimento de los niños en las fiestas de carnaval es un vivo ejemplo de ello. Pablos va a recorrer calles y plazas, jinete de un caballo ético y mustio ejerciendo el papel de rey de gallos.[62]

---

60. *Buscón,* p. 27.
61. *Ibíd.,* p. 28.
62. «Llegó [...] el tiempo de las Carnestolendas, y, trazando el maestro que se holgasen sus muchachos, ordenó que hubiese rey de gallos» (*Buscón,* p. 28).

Por otra parte, las relaciones alumno-profesor, mediatizadas por la postura del superior, obligaban al niño a inhibirse intentando pasar desapercibido o, como hace Pablos, a ganarse su favor mediante la realización de pequeños servicios extraescolares a la mujer del maestro.[63] Esta actividad le va a proporcionar la defensa de la «señora», pero también la envidia y el rencor de sus compañeros.

El caso de la prima de Gregorio Guadaña apenas nos proporciona más que la caricatura grotesca de una escuela para chicas adolescentes, donde Belona Lagartija, la maestra, también se vale del canto para enseñarles a leer, aunque parece que ésa no es la ocupación a la que se dedican más tiempo y esfuerzos,[64] pues lo fundamental es poner a las alumnas en ocasión de estar a solas con sus amantes, de lo cual resultaba que «llevaban hecha la costura, el encaje y la punta tan perfectos que sus dueños lo juzgaban por hecho en casa».[65]

Tampoco se quedaba atrás en cuanto a castigos corporales, y no se satisfacía plenamente hasta que las chicas estaban hechas un mar de llanto. Gregorio Guadaña, primo de la maestra, no se recata en hacer saber que ella «azotaba sus niñas cuando venían tarde y hasta que derramaban mil lágrimas no cesaba el castigo».[66]

Acerca de las relaciones entre los escolares, poco podemos también extraer de la picaresca, si no es en el caso de Pablos con sus compañeros de escue-

---

63. «Íbame el postrero por hacer algunos recados de "señora", que así llamábamos la mujer del maestro» (*Buscón,* p. 25).

64. «Hacía junta de sus discípulas, y cantábales la cartilla en dos palabras» (A. Enríquez Gómez, *Vida de don Gregorio Guadaña,* en *La novela picaresca,* ed. cit., t. II p. 747).

65. *Ibíd.,* íd.

66. *Ibíd.,* íd.

la. Sus relaciones se pueden establecer en dos planos completamente opuestos: *a)* relaciones con don Diego; *b)* relaciones con los demás.

Dispuesto a arrimarse al sol que más calentaba, y decidido a ser caballero, el niño-pícaro no duda en ofrecerse incondicionalmente al hijo de don Alonso mientras apenas se relaciona con los de su clase social. De esta forma se va a establecer una relación de amistad entre ambos muchachos que permanecerá inalterable algunos años.

Para empezar, Pablos acompañaba a don Diego a su casa todos los días, y se iba a jugar y a entretenerlo los días de fiesta. No le importaba salir perdedor en los trueques que, como niños, efectuaban, granjeándose así la confianza de los padres hasta permitir que acompañe al niño rico a cualquier hora:

> Yo trocaba con él los peones si eran mejores los míos, dábale de lo que almorzaba y no le pedía de lo que él comía, comprábale estampas, enseñábale a luchar, jugaba con él al toro, y entreteníale siempre.[67]

El señorito aprende del golfillo una serie de conocimientos adquiridos por éste en la calle, y los aprende tan bien que él será quien instigue al picaruelo para que insulte a Poncio de Aguirre, a lo que Pablos accede porque cae dentro de su estrategia para ganar su amistad. A cambio, don Alonso Coronel lo invita, en principio, a cenar y dormir, y cuando la suerte es adversa al picaruelo, lo acepta en el servicio y compañía de su hijo.[68]

---

67. *Buscón,* p. 27.
68. «Determinéme de no volver más a la escuela ni a casa de mis padres, sino de quedarme a servir a don Diego, o por mejor decir, en su compañía, y esto con gran gusto de sus padres» (*Buscón,* p. 30).

Con los demás compañeros las cosas fueron mucho peor, ya por encontrarlo ensoberbecido por su amistad con don Diego, ya porque no les dirigía la palabra, aunque, en su momento, están dispuestos a servirle en su papel de rey de gallos.

En cuanto a Estebanillo, a pesar de que faltaba a clases con mucha asiduidad, cuando hacía acto de presencia toda la institución sufría un colapso. Los hurtos, los engaños, las travesuras, las palizas recibidas, debían ser sonados, pues «traía tan enredados a los maestros con enredos y a los discípulos con trapazas, que todos me llamaban el Judas Españoleto».[69] Por todo ello, el término de su escolaridad no fue voluntario, como en Pablos, sino a la fuerza: «Y finalmente, fueron tantas mis rapacerías e inquietudes que me vinieron a echar del estudio poco menos que con cajas destempladas».[70]

Algunos pícaros tuvieron, no obstante, ocasión de adquirir estudios superiores: Trapaza, Pablos, Alonso y Gregorio Guadaña fueron los afortunados.

Entre ellos, Trapaza y Guadaña, dotados de todo lo necesario para sus estudios, gozaron de más posibilidades, mientras Pablos y Alonso comenzaron como estudiantes gorrones al servicio de sus respectivos amos.

El hijo de Clemente y Aldonza pasará en primer lugar por una especie de escuela secundaria, la del dómine Cabra, que se dedicaba a criar y educar a los hijos y servidores de los notables de otras localidades. Nos encontramos, de esta manera, en un internado donde las clases sociales están perfectamente organizadas, como refleja Pablos cuan-

---

69. *Estebanillo,* p. 3.
70. *Ibíd.,* íd.

do hace saber que «comían los amos primero, y servíamos los criados».[71]

Los cuartos eran compartidos por el señorito y su acompañante; la distribución de los comensales se establecía por grupos de cinco, y para comer todos esperaban la presencia del licenciado con su correspondiente bendición de la mesa. Es el mismo clérigo quien sirve a los pupilos y el que se preocupa de la puesta en práctica de las normas de compostura.

La jornada comienza a las seis de la mañana, y poco más tarde ya está el tutor leyendo la lección del día, tras la cual algún muchacho debe recitar la declinación ante los demás y repetir de memoria lo que el dómine acaba de explicar. Poca información, desde luego, para cubrir el paso del pícaro por la enseñanza secundaria.

La introducción de Pablos en la Universidad no pudo ser más humillante. Inocente todavía, y desacostumbrado a las argucias estudiantiles, como gesto de aproximación y disimulo se echa a reír, pero esta treta no le va a servir de nada. El mundo universitario era en verdad escuela y tapadera de pícaros y maleantes, unos porque se hacían allí, otros porque se allegaban al olor del dinero que los caballeros engolletados habían conseguido de sus padres para estudiar, y que, las más de las veces, perdían en el juego y otras diversiones.[72]

Si el bautismo universitario de don Diego se va a efectuar mediante el pago de 24 reales, el de Pablos, un pobre gorrón, se lleva a cabo a través no

---

71. *Ibíd.*, p. 32.

72. «Au XVI siècle, et toujours au XVIIe, les contemporains situaient les écoliers dans le même monde picaresque que les soldats, les valets, et d'une maniere génerale, les gueux» (Ph. Ariès, ob. cit., p. 205).

del agua bendecida en la pila bautismal, sino de una lluvia mucho menos santa e higiénica de salivazos: «Fue tal la batería y lluvia que cayó sobre mí, que no pude acabar la razón. Yo estaba cubierto el rostro con la capa, y tan blanco, que todos tiraban a mí».[73]

Para colmo de males, el episodio de la caca termina con sus últimos vestigios de honor. Pablos se va a convertir en pícaro, entre otras causas, para resarcirse de todo lo que hasta ese momento ha sufrido. Ya nadie le va a molestar en su labor, de modo que puede afirmar: «vivimos de allí adelante todos como hermanos».[74]

Si en la escuela no se hacía distinción de personas y todos los niños obtenían una instrucción similar, en la Universidad se rompe este equilibrio. Los pudientes van a disponer no sólo de más tiempo para estudiar —los gorrones tienen que dedicar gran parte del suyo en servirlos— sino que las lecciones que unos y otros reciben son ya en sitios diferentes y en distintas condiciones.

De ahí que de los que estudiaban gratis eran muy pocos los que terminaban los estudios, entretenidos además en sus travesuras y sus amoríos. El joven Trapaza se preocupaba «más de divertirse y desvelarse en dar un como que en estudiar un texto».[75]

Para que un joven de la clase inferior consiguiese terminar una carrera eran necesarias una gran fuerza de voluntad y unas extraordinarias dotes para el estudio. Podía ocurrir, no obstante, que, llegando a Salamanca o Alcalá, el señor se engolfase

---

73. *Buscón,* p. 51.
74. *Ibíd.,* p. 55.
75. *Aventuras del bachiller Trapaza,* p. 452.

y el siervo se interesara por el estudio, pero éste era el caso menos frecuente. Cuando se produce hay que considerarlo como excepción: «yo, con ser un zote —dirá Alonso—, había cobrado con todos nombre de buen estudiante».[76]

Entre los buenos estudiantes de origen humilde destaca sobremanera la figura de Tomás Rodaja, que, de criado fiel, llega a convertirse en compañero de sus amos malagueños, de forma que «en ocho años que estuvo con ellos se hizo tan famoso en la Universidad por su buen ingenio y notable habilidad, que de todo género de gentes era estimado».[77]

Empero no podemos catalogar al licenciado Vidriera como un auténtico pícaro, y nos sirve únicamente para dar razón de que en la Universidad había dos maneras de estudiar y vivir que, si tenían muchos puntos de contacto, con frecuencia alejaban definitivamente a dueños y criados.[78]

Conocimientos

Parece ser que la etapa de escolarización duraba desde los ocho o nueve años hasta los quince o dieciséis. Ni la edad de comenzar ni la de finalizar los estudios era fija y dependía de muchos factores, intelectuales, sociales, situacionales, de tal manera que en la misma sala de clase se podían encontrar, adquiriendo el mismo tipo de conocimientos, niños pequeños, jóvenes y aun adultos.

---

76. *El donado hablador,* p. 149.

77. M. de Cervantes, *El licenciado Vidriera,* en *Novelas ejemplares,* ob. cit., p. 301.

78. «Esta respuesta movió a los dos caballeros a que le recibiesen y llevasen consigo, como lo hicieron, dándole estudio de la manera que se usa dar en aquella Universidad a los criados que sirven» (*El Licenciado Vidriera,* p. 300).

En el caso de los pícaros, por la parquedad de datos, apenas podemos encontrar unos puntos de referencia. Desconocemos si Lázaro llegó a estar escolarizado, aunque sabe, al menos en la etapa de madurez, escribir. Periquillo, uno de los más aventajados, ya sabe leer y escribir a los seis años, dedicando la mayor parte del tiempo libre a profundizar en los conocimientos adquiridos.[79]

Con quince o dieciséis años Alonso, que ha recibido lecciones de su tío clérigo, se considera todo un erudito, en disposición de entrar en la Universidad. Sus reflexiones nos permiten comprobar que el grado y número de conocimientos previos exigidos para convertirse en estudiante gorrón era mínimo: «Leía bien y escribía razonablemente; de la gramática era lo que sabía más que moderado, pudiéndome con justo título llamar *Petrus in cunctis*».[80]

Otros, menos afortunados, empezarían, pasada la adolescencia, sus primeros estudios, como se desprende de unas palabras de Teresa a Sancho Panza en la segunda parte del *Quijote*: «Advertid que Sanchico tiene ya quince años cabales, y es razón que

---

79. Un tipo curioso, dibujado con las trazas de los pícaros, será más tarde Pinocho, tan aventajado que, en el capítulo IX de sus aventuras, va discurriendo: «Hoy en la escuela voy a aprender a leer en seguida, mañana aprenderé a escribir, y pasado mañana aprenderé a hacer los números» (C. Collodi, *Las aventuras de Pinocho,* trad. de M. Esther Benítez, Madrid, Alianza, 1983[3], p. 63). Claro que no será hasta el último capítulo de la obra cuando consiga culminar aquellos descabellados propósitos: «Había comprado en el pueblo cercano, por pocos céntimos, un gran libro sin tapas ni índice, y en él leía. En cuanto a escribir, utilizaba una pajita suave a modo de pluma; y como no tenía tintero ni tinta, la mojaba en un frasquito lleno de zumo de moras y cerezas» (p. 215), detalles estos últimos que se antojan muy apropiados para describir la precariedad de medios en la enseñanza hasta épocas bien recientes.

80. *El donado hablador,* p. 147.

vaya a la escuela, si es que su tío el abad le ha de dejar hecho de la Iglesia».[81]

Esta mescolanza de niños, jóvenes y, a veces, adultos, en la misma clase era, forzosamente, causa de iniciación prematura de los menores en las actividades delictivas. Los insultos y las palabras de doble sentido que profieren contra Pablos harán que éste, avergonzado y fuera de sí, interrogue a su madre acerca de su concepción. Aquellas palabras e insultos proceden, sin duda alguna, de niños mayores que él o de iguales ya apicarados en su contacto con los de edades superiores.

Por su parte, Tomás Rodaja sabe leer y escribir con once años, y está dispuesto para entrar en la Universidad, en cuyas aulas se ocupa durante ocho años.

No son tan constantes en el estudio los otros pícaros, pues, aparte de Pablos, los demás apenas continúan en el ambiente estudiantil una breve temporada. El mismo Pablos se siente satisfecho de sus escasos conocimientos y decide abandonar la escuela, aunque luego acompaña a su amo y amigo al pupilaje de Cabra y a la Universidad de Alcalá:

> Escribí a mi casa que yo no había menester más ir a la escuela porque, aunque no sabía bien escribir, para mi intento de caballero lo que se requería era escribir mal, y que así, desde luego, renunciaba la escuela por no darles gasto.[82]

Con esto hace recordar que el hidalgo no era dado a la cultura y permite advertir que el cole-

---

81. M. de Cervantes, *Don Quijote de la Mancha* (ed., intr. y notas de M. de Riquer), Barcelona, Planeta, 1980, p. 612.
82. *Buscón,* p. 30.

gio al que estaba asistiendo el muchacho era «de pago».[83]

En otras esferas sociales quizá el aprecio por la cultura fuera mayor, como así parece atestiguarlo *El Cortesano* de Castiglione, donde se dedican no menos de tres capítulos a la corrección en el hablar y en el escribir,[84] pero también en posible que la misma extensión en el tema nazca más de un deseo de que se propague la cultura entre los cortesanos, que de su existencia real.

Entre los pícaros y afines solamente llega a culminar una carrera un caso atípico, Tomás Rodaja, pues tanto Trapaza como Pablos y Alonso abandonan los estudios antes de haberlo conseguido, y el doctorado de Gregorio Guadaña se queda también sin realización, pues el joven no llega a Salamanca, meta donde había previsto realizar sus estudios.

Pero no por ello los pícaros desechan determinadas formas de cultura como la poesía. El pícaro se desenvuelve en un ambiente casi primitivo, donde ha de luchar y esforzarse para poder sobrevivir, por ello necesita algo que lo eleve y le permita olvidarse de lo cotidiano, de las cosas vulgares, y presentarse, aunque no sea más que con la imaginación, mundos diferentes. Para ello nada mejor que la creación poética, pues ésta, en palabras de J. Huizinga, «en su función original como factor de la cultura primitiva, nace como juego [...] Se halla más allá de lo serio, en aquel recinto, más antiguo, donde habitan el niño, el animal, el salvaje y el vi-

---

83. Ésta pudo ser la causa de la manifiesta alegría del maestro al recibir un nuevo alumno.

84. Serán los capítulos III, VII y VIII, con los que Castiglione, gran humanista, pretende convencer de que las letras son el mejor ornato del alma.

dente, en el campo del sueño, del encanto, de la embriaguez, de la risa».[85]

Casi todos los pícaros van a ser consumados poetas, incluso ellas; unos, tomando para su recitado composiciones ajenas —a menudo de folklore y del romancero—, otros improvisando mientras se acompañan de cualquier tipo de instrumento musical: guitarras, arpas, castañuelas, etc.

Pícaros de segunda fila, como Sarabia, *partenaire* de Teresa del Manzanares, se van a permitir la versificación, algunos utilizando estrofas que debían suponer cierta dificultad, y que sin duda era obligado asimilar primero en su teoría, como la décima[86] o el soneto.[87]

El baile será consecuencia de lo anterior. En el patio de Monipodio se improvisa un antecedente de juerga flamenca, donde todos los que han hecho acto de presencia pueden tomar parte y en la que cualquier objeto es útil para ser utilizado como acompañamiento:

> Quitándose un chapín comenzó a tañer en él como en un pandero [...], tomó una escoba de palma [...] y rascándola hizo un son que [...] se concertaba con el del chapín. Monipodio rompió un plato e hizo dos tejoletas, que puestas entre los dedos y repicadas con gran ligereza, llevaba el contrapunto del chapín y a la escoba.[88]

---

85. *Homo ludens*, Madrid, Alianza, 1972, pp. 144 y 146.

86. La décima es para J. Díaz de Rengifo «uno de los Poemas mas elegantes y mas usados que suelen llevar algunos sentenciosos equivocos, ò algunas equivocas sentencias, para el mayor ornato de su composicion» (Arte poética española, Barcelona, 1759, p. 37).

87. Para J. Díaz de Rengifo, «El soneto es la mas grave composicion, que hay en la Poesia Española: y por esso este nombre, que parece comun à todo genero de Copla se dà por antonomasia à esta» (Arte poética, ob. cit., p. 95).

88. *Rinconete y Cortadillo*, p. 226.

La formación musical de Justina es, como se dijo, bastante completa, y su afición al baile la lleva no sólo a su práctica, sino a la teorización.[89]

Pese a todo, si bien es cierto que la mayor parte de los conocimientos, teóricos y prácticos, adquiridos por los pícaros no provienen de su aprendizaje en los centros de enseñanza, sino de la calle, en el contacto con los amos y con la gente del hampa, el ámbito escolar contribuye a capacitarlos en materias humanísticas y científicas. En el mayor número de los casos, escuela y universidad colaboran también a introducirlos en la picardía o a hacerlos maestros en ella.

La etapa escolar es, de todas formas, importante, y sin ella no hubieran existido algunos de los mejores capítulos del *Buscón*. Pudo ocurrir, por supuesto, que durante el período escolar o universitario algunos niños reales tuvieran contacto con obras de la literatura picaresca, lo más probable un *Lazarillo* censurado, que tal vez ejerciese influjos negativos sobre sus lectores.[90]

La censura no impidió, a buen seguro, que en

---

89. «En el bailar hay dos cosas, la una es andar mucho y la otra es alegrarnos mucho con el alegre son. Y como en el estar sujetas hay dos males, el uno estar atadas para no poder salir adonde queremos y el otro estar tristes de vernos oprimidas, y tanto, que no hay necio a quien no le parezca que hace suerte en decir mal de nosotras, como si fuéramos todas burras de venta y en mala feria, que para ser compradas hayamos de ser vituperadas; y como en el bailar hay dos bienes contra estos dos males, el uno andar y el otro el alegrarnos, tomamos por medio estas dos alas para huir de nuestras penas, y estas dos capas para cubrir nuestras menguas» (*La pícara Justina,* p. 939).

90. «El *Lazarillo,* que fue incluido en el índice de los libros prohibidos por la Inquisición, siguió apareciendo en una edición expurgada, y hemos de suponer que sería muy leído por grandes y chicos» (C. Bravo-Villasante, *Historia de la literatura infantil española,* Madrid, Doncel, 1969, p. 36).

la mente de los niños surgieran deseos de emulación motivados por el amplio margen de libertad que la picaresca proporcionaba a sus protagonistas centrales, así como por la comicidad con que se tratan muchas de las situaciones donde el niño podía encontrar un escape, pues «hay que suponer que los niños estarían atentos sólo a las travesuras del personaje de su misma edad y que pasarían por encima de las sutiles alusiones sin comprenderlas».[91]

De esta manera, la misma literatura picaresca podía ser, dentro y fuera del ambiente escolar, fermento de pícaros, contribuyendo la escuela, en este sentido, a poner al alcance de los menores, las pautas de conducta que aparecían en tales obras.

El ambiente social

Si la influencia del ambiente familiar es la causa primaria del exilio voluntario del niño-pícaro, y con ello el origen de la obligada introducción en la clase de los buscones, va a ser precisamente su inserción en la sociedad la que lo ponga en contacto con los maestros en la picardía y con las situaciones que configuren definitivamente su educación.

La verdadera escuela del pícaro es la de la vida, y su universidad serán, literaria y realmente, los puntos de aquellas ciudades en que se condensa la mayor parte de esta población. Una escuela y una universidad ciertamente duras para el novicio, como observa P. Palomo: «porque lo que Guzmán narra es la historia de una degradación social, por la que Guzmanillo, el niño inexperto que sale de Sevilla, termina, sin posibilidad de salvación, siendo atra-

---

91. *Ibíd.*, íd.

pado por esa tela de araña sin caridad que es la sociedad coetánea».[92]

Nada más lejos de la *doctrina de las nadas* «que exige del caminante desprenderse de todo, asumiendo generosamente la negación de las criaturas».[93] Bien al contrario, el pícaro, obligado por las circunstancias, presionado por quienes están a su alrededor, intenta con desesperación luchar por las migajas que caen de las mesas opulentas, donde nadie se preocupa por su bienestar.

Pese a ello los pícaros literarios consiguen de vez en cuando alguna buena tajada, que no paliará, sino momentáneamente, sus quejas continuas y amargas:

> ¿Cuál infelice estrella me sacó de mi casa? Sí: después de que puse el pie fuera della, todo se me hizo mal, siendo las unas desgracias presagio de las venideras y agüero triste de lo que después vino.[94]

Los mejor dotados física e intelectualmente, los más rápidos, son los que, como Pablos, consiguen hacerse con los mejores mendrugos. Es una verdadera ley de selección la que está actuando sobre ellos, aunque no advierten su influjo. Los que quieran prosperar tendrán que aguzar el ingenio y aprovecharse del fallo de los otros en una carrera vertiginosa que los arrastra bien a su pesar.

Todo acelera su ritmo desde que las naves españolas han alcanzado un nuevo continente. Nada puede ser igual que antes. Ahora el movimiento del

---

92. *La literatura clásica española,* Barcelona, Planeta, 1976, p. 136.

93. C. Cuevas, «Introducción» a S. Juan de la Cruz, *Poesías completas,* Barcelona, Bruguera, 1981, p. XXVI.

94. *Guzmán,* p. 131.

dinero es muy fluido, siempre cabe la posibilidad de descubrir un rico filón en América y regresar cargado de oro y de títulos, siempre cabe la posibilidad de embaucar y arruinar a uno de esos nuevos ricos mediante una estratagema astuta. Como advierte Lázaro, aunque sea en otro sentido, conviene avivar el ojo, ya que los cambios de fortuna se pueden producir en cualquier momento.[95] Si el pícaro pretende prosperar, o al menos sobrevivir, ha de saber nadar y guardar la ropa en ese mar de confusiones que abarca los siglos de oro.

La breve duración de la vida[96] repercutía también notablemente en el afán de conseguir una posición económica estable, que alargara, a base de comodidades, holganza y una buena alimentación, los últimos años de la existencia.

Al pícaro le urge medrar, y para ello lo más fácil era enrolarse en el ejército, de cuyo servicio fiel se podría alcanzar, años más tarde, una recomendación con la que acceder a una prebenda. También se podía partir hacia los territorios recién descubiertos, cosa a la que se ven obligados algunos pícaros; pero estas dos soluciones extremas sólo consiguen alcanzarlas como adultos, si bien algunos de ellos entraron al servicio de determinados militares desde niños.

Pero como al pícaro no le atrae excesivamente el trabajo, no se deja seducir con facilidad, de ahí

---

95. Aunque con ciertas reticencias, así lo admitía E. Tierno Galván cuando comentaba que «hubo una movilidad vertical activa intraclase, pero una movilidad vertical mínima extraclase, con relación a la nobleza» (*Sobre la novela picaresca y otros escritos,* Madrid, Tecnos, 1974, p. 92).

96. El índice de mortalidad infantil antes del primer año era muy elevado, y la edad media de vida no sobrepasaba los 40. Casos de longevidad como el de Calderón han de considerarse excepcionales.

que puedan encontrarse consejos como éste: «—Camarada del alma, tome mi consejo y haga lo que quisiere; pero a Flandes, ni aun por lumbre, porque no es tierra para vagabundos, pues hacen trabajar a los perros como aquí los caballos».[97]

Ambas, por otra parte, eran ocupaciones muy arriesgadas, ya que tanto en el caso de expatriación a Indias como en el de alistamiento voluntario para la guerra, el peligro de muerte era demasiado próximo. Las enfermedades, el hambre, el clima desacostumbrado, las traiciones de propios y extraños y la piratería suponían otros inconvenientes de gran peso. Todos saben que el hombre apresado en las *razzias* se convierte en un esclavo que desempeña los más duros oficios de la casa, el que recibe como salario gritos y empujones, el que, cuando sale a la calle a buscar el agua, el pan o la leche, oye los insultos de los niños que se burlan del «Rumi» (cristiano) y le tiran piedras.[98]

Por estas razones los pícaros duran poco en el ejército, y si emigran al nuevo continente es porque han agotado las posibilidades de sobrevivir en la península o se sienten acosados muy de cerca por la justicia, como le ocurrirá a Pablos en los últimos momentos de la obra.[99]

Mejores perspectivas presentaba someterse a pupilaje y servicio de un adulto determinado o de alguna familia. Éste había sido durante la Edad Media, y seguía siendo a principios del XVI, uno

---

97. *Estebanillo,* p. 25.

98. F. Díaz-Plaja, *Cervantes,* Barcelona, Plaza Janés, 1974, p. 48.

99. «La justicia no se descuidaba de buscarnos [...] Yo que vi que duraba mucho este negocio [...] determiné, consultándolo primero con la Grajales, de pasarme a Indias con ella, a ver si, mudando mundo y tierra, mejoraría mi suerte» (*Buscón,* p. 187).

de los medios normales de educar a los hijos, en especial entre la nobleza, donde el futuro caballero andante solía comenzar su adiestramiento ejerciendo la función de paje con algún otro caballero que lo adiestraba en las armas y en la ideología que su ejercicio le iba a exigir.

Por otra parte, el aprendizaje de cualquier profesión estaba relacionado con la educación integral del muchacho. Cuando un chico pretendía dedicarse a aprender un oficio tenía que pasar por todas las categorías de clase que éste conllevaba, e incluso realizar actividades ajenas a la ocupación laboral, pero inherentes al servicio como criado que también estaba obligado a efectuar en esa primera etapa. De ese modo no es de extrañar que la primera tarea encomendada a Estebanillo sea la de lavar la ropa interior de los numerosos hijos del barbero,[100] algo que al muchacho va a disgustar en grado sumo.

Pero el servicio de un amo es la forma más barata y fácil de aprender y de satisfacer la necesidad de alimentación y vestuario, además de ser muy asequible, pues a muchos de los picaruelos les bastará sentarse en un banco, en un borde del camino, en la puerta de un templo, o arrimarse a algún personaje cuyo atavío lo presuponga persona de cierto rango, para ser admitidos a su servicio.[101]

---

100. «Me dio una canasta de mantillas, pañales y sabanillas y baberos de los niños, y abriendo la puerta de un patio y dándome dos dedos de jaboncillo de barba, me enseñó un pozo y una pila, y me dijo: —Estebanillo, manos a la labor, que este oficio toca a los aprendices» (*Estebanillo,* p. 3).

101. «Topóme Dios con un escudero que iba por la calle, con razonable vestido, bien peinado, su paso y compás en orden. Miróme, y yo a él, y díjome: —Muchacho: ¿buscas amo? Yo le dije: —Sí, señor. —Pues vente tras mí —me respondió—, que Dios te ha hecho merced de topar conmigo» (*Lazarillo,* p. 86).

Indudablemente, el mayor infortunio en la elección de amos corresponde a Lázaro, pues, si bien el ciego «lo alumbró y adestró en la carrera de vivir», no hay que olvidar las palizas que muy a menudo le propinaba, a veces por cuestiones de escasa importancia.[102] Con el clérigo la situación fue de mal en peor, pues no sólo se muestra tacaño en el alimento, sino también en proporcionarle educación. Por último, tras descalabrarlo, lo abandona a su suerte.

El otro problema, en ese punto, es conseguir el sustento y no hay otro medio mejor que hacerse con un amo que lo solucione. «Busca, busca un buen amo a quien sirvas» es la frase con la que se dirigen al chico cuando se atreve a pedir limosna por las calles. Pero parece que no quedan muchos amos sin gente a su servicio, pues aunque Lázaro se afana en su búsqueda, le va a resultar bastante difícil encontrar uno libre.[103]

Hallado por fin uno en la figura del escudero, será éste quien proceda más consideradamente con el chico, y por eso Lázaro se siente incapaz de abandonarlo. El trato con los demás amos no gozará desde ese momento y capítulo de una relación personal.

Sin duda, la primordial, entre todas las actitudes educativas de los amos, es la mantenida por el ciego. De su influencia arranca en muchos aspectos la literatura picaresca. El hecho de que existie-

---

102. «Fue tal el golpecillo, que me desatinó y sacó de sentido, y el jarrazo tan grande, que los pedazos de él se me metieron por la cara, rompiéndomela por muchas partes, y me quebró los dientes, sin los cuales hasta hoy día me quedé» (*Lazarillo,* p. 52).

103. «—¿Y adónde se hallará ése —decía yo entre mí—, si Dios ahora de nuevo, como crió el mundo, no lo criase?» (*Lazarillo,* p. 85).

ran con anterioridad la mayoría de los episodios que se atribuyen a Lázaro y al ciego no estorba para nada este comentario. El ciego no es un payaso, no es un bufón, no se dedica a recitar historias de amor o de guerra; el ciego es un verdadero maestro, pero un maestro que no enseña acerca de lo externo de las cosas, sino a profundizar en ellas, desconfiando de las apariencias para llegar a su esencia misma. El ciego se convierte en el verdadero educador de Lázaro, a quien dirá parafraseando a san Pedro: «—Yo oro ni plata no te lo puedo dar; mas avisos para vivir muchos te mostraré. Y fue así: que, después de Dios, éste me dio la vida, y siendo ciego me alumbró y adestró en la carrera de vivir».[104]

Si la función docente del educador consiste en hacer aflorar, para mejorarlas, aquellas cualidades innatas del individuo, el ciego es el gran educador de Lázaro, y para ejercer su función utiliza toda clase de recursos: 1) Experimentación práctica (caso del toro, caso de las uvas). 2) Consejo prudente y oportuno («necio, aprende que el mozo de ciego un punto ha de saber más que el diablo»). 3) El ejemplo continuado. 4) Método socrático (cuando las sogas del zapatero rozan la cabeza del ciego). 5) Utilización de frases bíblicas y del romancero para adoctrinar al pilluelo.

No importa que el ciego esté privado de la vista para preparar al muchacho en ocupaciones tan necesitadas de la visión como el ayudar a Misa. Lo que Lázaro tiene que aprender con él es la superioridad de la luz del entendimiento, ante la cual muchos de los objetos familiares cambian completamente de aspecto y aun de naturaleza. En vez de

---

104. *Lazarillo,* p. 47.

ser Lázaro —vidente— el que guíe los pasos de su amo —invidente— es éste quien adiestra a aquél. Las «mil cosas buenas [que le] mostró el pecador del ciego»[105] hacen que el balance educador del primer amo, pese a todos sus defectos y abusos, sea positivo en cuanto a preparar al niño para la vida, algo que éste agradecerá más tarde tras haber conseguido dejar de ser pícaro[106] y convertirse en pregonero.

La relación de servicio picaruelos-amos era una relación de dependencia absoluta de los primeros hacia los segundos y hacia sus caprichos. Pese a todo, el derecho de retención de los amos era mínimo. Lo normal, como expresa Lázaro al final del tratado tercero, era que los mozos los abandonasen cuando les viniera en gana.

Para que ello no ocurra los amos se valen, y esto en todos los casos, de la influencia que sobre sus pupilos ejerce el hambre. En este aspecto, los niños-pícaros prefieren lo malo conocido a lo bueno por conocer, de forma que no los abandonarán hasta que la situación sea insostenible o un golpe inesperado de fortuna la modifique:

> Pensé muchas veces irme de aquel mezquino amo; mas por dos cosas no lo dejaba: la primera, por no me atrever a mis piernas, por temer de la flaqueza, que de pura hambre me venía; y la otra, consideraba y decía:
>
> «Yo he tenido dos amos: el primero traíame muerto de hambre, y, dejándole, topé con estotro, que me

---

105. *Ibíd.*, p. 65.

106. «El pícaro sólo lo es en su intento de ascenso social extraclase. No es una entidad sino una función. Existe para dejar de existir. Su única meta como pícaro es dejar de serlo» (J. Taléns, ob. cit., p. 31).

tiene ya con ella en la sepultura; pues si déste desisto y doy en otro más bajo, ¿qué será sino fenecer?».[107]

El temor a que el intento de ascenso concluya en un nuevo paso atrás favorecerá que el hambre, la desdicha, el infortunio en general, se ceben sobre el más débil, sobre el menos informado.

Necesitado de información en todos los órdenes, al pícaro no le queda más solución que actuar de forma mimética, uno de los medios naturales de aprendizaje en las especies animales superiores.

El aprendizaje para la vida se perfecciona mediante la imitación directa de los demás. Tal vez por ello Estebanillo, renunciando a su patria chica, se haga alemán con los alemanes, flamenco con los flamencos y armenio con los armenios, como vimos. Pero la filosofía del «haz como vieres» se utiliza en buena medida para excusar la villanía propia, como hace el padre de Pablos al referir a su hijo que todos roban, o cuando Guzmán expone en su descargo que «andaba entre lobos; enseñéme a dar aullidos [...] Todos jugaban y juraban, todos robaban y sisaban; hice lo que los otros».[108]

Los pícaros no se van a contentar, de todas maneras, con la simple imitación de la actividad, corrientemente amoral, de amos, compañeros de fechorías y hampones, sino que pretenden ser los mejores en su género, emulando a sus maestros, como hace Lázaro invitado a compartir el racimo recién recibido: «Y comenzó a tomar de dos en dos, considerando que yo debería hacer lo mismo. Como vi que él quebraba la postura, no me contenté ir a la

---

107. *Lazarillo,* p. 69.
108. *Guzmán,* p. 224.

par con él; más aun pasaba adelante: dos a dos y tres a tres, y como podía las comía».[109]

Bien lejos, pues, de las primeras advertencias de la famosa *De Imitatione Christi,* donde se invita a la imitación de la vida y costumbres de Cristo si se pretende alcanzar la auténtica sabiduría.[110] Pero la picaresca no presenta una sociedad interesada por el desarrollo de las virtudes cristianas, directa o indirectamente imitadas de Cristo. Bien al contrario, para F. Márquez Villanueva, ya el autor de la primera novela del género «apunta hacia el lado religioso con toda esta exploración implacable de la maldad humana, prueba abrumadora de la ausencia de caridad en el seno de una sociedad muy orgullosa de titularse cristiana»[111] pero cuyo cristianismo va quedando en título, cuando mucho, honorífico.

En clara oposición a los ideales y a la praxis de la vida ascética, en la novela picaresca no se hace imitación de virtudes, sino de vicios, de contravalores.

La menos grave, la más ingenua de las imitaciones efectuadas por los pícaros es tal vez aquella, de carácter superficial, llevada a cabo por Teresa al copiar el peinado de una comedianta, que la convierte en un breve intervalo de tiempo en la peluquera favorita de la Corte.

Si la imitación de Teresa es lucrativa, la imita-

---

109. *Lazarillo,* pp. 54 y 55. La cursiva es mía.

110. «*Quien me sigue no anda en tinieblas* (*Juan,* 8, 12) dice el Señor. Estas palabras son de Cristo con las cuales nos amonesta a que imitemos su vida y costumbres, si queremos verdaderamente ser alumbrados y libres de toda ceguedad del corazón» (T. de Kempis, *Imitación de Cristo,* trad. de J.E. Nieremberg, Barcelona, Bruguera, 1974, p. 11).

111. «La actitud espiritual del *Lazarillo*», en *Espiritualidad y literatura en el Siglo XVI,* Madrid, Alfaguara, 1968, p. 112.

ción de determinados usos y costumbres sociales por parte de cualquier pícaro es un recurso fundamental para la supervivencia y el medro, en especial la imitación del disimulo.

El arte del disimulo necesita un aprendizaje, pero cada joven pícaro encuentra en su camino algún consumado maestro con cuyo ejemplo puede darse por iniciado.

Maestro de maestros en el disimulo es el tercer amo de Lázaro, que, como resume un crítico, «viste bien, anda con prestancia y es aseado; oye misa con devoción; vive en una casa que, si bien tiene la entrada "oscura y lóbrega", tranquiliza enseguida con "un patio pequeño y razonables cámaras". Y, además, cosa importantísima, es quizá la primera persona que pregunta a Lázaro por la limpieza de sus manos, y que se interesa por su vida».[112] En cuanto el chico se percata de que en la vida del hidalgo todo es disimulo, todo es apariencia, comienza a disimular para que el otro no dé por fracasado su disimulo. El discípulo, «un niño inocente», ha desbancado de inmediato al maestro, cuya buena disposición de capa y sayo engañaba a la ciudad de Toledo.

Claro que esta acción de disimulo basada en la compasión —no en la caridad— es la más hermosa, la más enternecedora de toda la literatura picaresca. Existe otro disimulo, más acre, basado en la capacidad de dramatización del pícaro, y utilizado para obtener beneficios de otra índole.

No puede dejar de considerarse teatral el paseo de Lázaro por las calles de Toledo practicando la mendicidad ante las puertas de las mejores casas

112. F. Lázaro Carreter, *«Lazarillo de Tormes» en la picaresca*, Madrid, Ariel, 1978, p. 147.

«con baja y enferma voz e inclinadas las manos en los senos, puesto Dios ante mis ojos y la lengua en su nombre».[113]

El picaruelo se ve obligado a disimular una debilidad, una enfermedad que no padece, pero lo hace, en el fondo, para encubrir el disimulo de su amo. Otro cariz presenta el nuevo disimulo del hidalgo, que, con una pajita en la boca a guisa de mondadientes, aparenta saciedad y capacidad económica para mantener a su mantenedor.

No hace falta a los aprendices de pícaros asistir al teatro para ver comedias. El teatro del mundo pone ante sus ojos sucesivas actuaciones teatrales que les irán proporcionando los mil y un recursos de la simulación.

A pesar de que todos los pícaros llegan a convertirse en excelentes actores, es probablemente Pablos el más refinado artista de la simulación, pues aunque desde su niñez se advierten en él aptitudes para lo teatral que lo colocan, convenientemente disfrazado, a lomos de un caballo ético y mustio sobre el cual representa el rey de gallos, ha de sufrir, para darse cuenta de la fuerza del disimulo, sus efectos.

Pablos, camino de Alcalá, observa la actuación del supuesto primo de don Diego —un auténtico pícaro— ante cuya desfachatez exclama: «Maldiciones le eché cuando vi tan gran disimulación, que no pensé acabar».[114] Pero la dramatización, burlesca o no, es el único juego no de azar que se permite a niños y jóvenes pícaros. Así que, asentado en Alcalá, sus travesuras dramáticas serán tan atrevidas que superarán con creces todas las apuestas. Es tal su capacidad teatral que, no contento con la

---

113. *Lazarillo,* p. 95.
114. *Buscón,* p. 45.

variación del tono de voz —propia de cualquier mendigo aplicado—, monta un escenario completo para evitar caer en manos de la justicia tras el robo de las armas a la ronda:

> Llegaron a casa, y yo, porque no me conociesen, estaba echado en la cama con un tocador y con una vela en la mano y un cristo en la otra, y un compañero clérigo ayudándome a morir, y los demás rezando las letanías. Llegó el rector y la justicia, y *viendo el espectáculo,* se salieron, no persuadiéndose que allí pudiera haber habido lugar para otra cosa.[115]

El magnífico espectáculo montado por el joven pícaro no tiene un solo defecto, y podría haber sido creado por cualquiera de nuestros mejores dramaturgos barrocos: luz, sonido, caracterización, decorado, mímica, movimiento escénico, se dan la mano para conseguir un cuadro que no tiene nada que envidiar a los mejores de la comedia de enredo. Estudiantes y pícaros —que todo es uno, como apunta Pablos— consiguen con la representación demostrar su capacidad para disimular y la importancia capital del disimulo.[116]

---

115. *Ibíd.,* p. 65. La cursiva es mía. Más adelante haré referencia a Pablos como autor de comedias.

116. Estebanillo, por su parte, llega a interpretar, como miembro de una compañía de comedias, el papel de niño Rey de León ante el Cardenal de Oria —arzobispo de Palermo— y otros personajes ilustres. Para tal fin le ponen «un vestido de paño fino con muchos pasamanos y botones de plata y con muy costosos cabos» (*Estebanillo,* p. 175).

La inadaptación

El pícaro es, en efecto, un inadaptado social, pero cabe preguntarse si su inadaptación proviene de él mismo o de la sociedad. Hay muchos tipos de pícaros, y todos ellos tienen como denominador común vivir al margen de la sociedad, cuando no en continuo choque con ella. Ello es debido, en primer lugar, a que la entrada en el mundo de los adultos supone un *shock* tremendo para el todavía niño, las más de las veces ingenuo.

La entrada en el mundo se realiza por medios violentos, como el golpe contra el toro propinado a Lázaro, o los insultos y salivazos que recibe Pablos. Es un mundo hostil que no abre sus puertas. El niño ha de tomar, muy joven aún, una decisión determinante: o se lanza a luchar con todas sus fuerzas contra todo lo que tiene alrededor, o se abandona y se coloca en una posición sumisa ante las circunstancias que intentan doblegarlo.

A veces el picaruelo, demasiado niño todavía, cumple la segunda función en primer lugar para decidirse en una etapa posterior por la lucha, o bien simultánea ambas colocado en una posición de servicio rebelde.

Pero no es fácil convivir con los demás en una sociedad donde cada cual intenta conseguir superar a los demás sin sentir por ello ningún tipo de escrúpulo. Como advertirá Guzmanillo, «todos roban, todos mienten, todos trampean; ninguno cumple con lo que debe, y es peor que se precian de ello».[117]

El hombre ya no se comporta como tal con sus semejantes, y mucho menos con los más débiles,

---

117. *Guzmán,* p. 210.

de ahí que en las voces de la mayor parte de los pícaros se advierta un deje de tristeza y amargura, acentuado en las postreras novelas del género.

La incapacitación para vivir con los demás, producida por los mismos que debían hacer apto para la convivencia al niño-pícaro, indica que el trato leal de hombre a hombre es mínimo. Apenas se va a dar algún que otro caso de amistad duradera entre los pícaros y, en menor cuantía, van a aparecer testimonios de que esa amistad sea desinteresada y profunda.

Cuando el pícaro mantiene relaciones de compañerismo con otros pícaros, éstas van a perdurar el tiempo justo de preparación de un engaño tras el cual llegará el distanciamiento, sin tener en cuenta las palabras de mutua lealtad proferidas poco antes: «No hallarás —dirá Guzmán— hombre con hombre; todos viven en asechanza los unos de los otros; como el gato para el ratón o la araña para la culebra».[118]

A pesar de todo hay pequeños atisbos y rudimentos de amistad en las relaciones de varios pícaros, a menudo con el fin de adquirir la capacitación necesaria para sobrevivir y, en otras ocasiones, para realizar juntos acciones delictivas que exigían mayor acopio de fuerzas, pero ésas resultarán las excepciones que confirman la regla. De ahí que J.A. Maravall exponga que «efectivamente ese ser agónico y en el fondo solitario, lanzado, por la inspiración de un principio de egoísmo y conservación, a la lucha en todos los momentos, es el hombre en acecho, tal como lo concibe la mentalidad barroca».[119]

---

118. *Ibíd.*, p. 211.
119. *La cultura del Barroco,* Barcelona, Ariel, 1975, p. 331.

De la actitud de lobo para el hombre a la soledad del pícaro hay un solo paso. La soledad será una característica inherente al pícaro de todas las épocas, desde sus prototipos hasta sus manifestaciones modernas, desde su desgarro familiar hasta la terminación de sus aventuras, desde el nacimiento hasta la muerte.

La novela picaresca se convierte así en un dolorido cántico a la soledad del hombre, mal mayor que ni la actividad divina ha conseguido erradicar a pesar de haberlo intentado.[120] Ante la pertinaz actitud humana, ante su forma de interpretar la libertad de que el hombre ha sido dotado por su Creador, Éste ha de ceder esperando la reflexión de la criatura que la lleve a una reacción en sentido contrario. Mientras tanto, las palabras del Génesis recobran su carácter y la soledad se convierte en atributo del pícaro, que no va a obtener, en la mayor parte de los casos, la ayuda de que tan necesitado está: «Verdad dice éste, que me cumple avivar el ojo y avisar, pues *solo soy* —dirá el joven Lázaro—, y pensar cómo me sepa valer».[121]

Y con la soledad, que es más una soledad espiritual que física, donde, aunque haya compañía, cada uno está muy lejos del otro, aparece la insuficiencia. El niño-pícaro, y también el adulto, se manifiesta insuficiente, hasta tal punto que todas sus exhibiciones de astucia o hidalguía no dejan de ser el contrapunto a un complejo que no se quiere confesar.

A pesar de esta insuficiencia el picaruelo no se amilana, sino que se irá convirtiendo, si no en un

---

120. «Dijo Dios, el Señor: No es bueno que el hombre esté solo; hagámosle una ayuda que sea semejante a él» (Génesis, 2, 18).

121. *Lazarillo,* p. 47. La cursiva es mía.

vencedor final, sí en un luchador en todos los frentes, incluso en el físico: «de unas palabras en otras venimos a las mayores y con mis flacas fuerzas y pocos años arranqué de un poyo y tiréle medio ladrillo»[122] —dirá Guzmán—.

Lázaro, más niño y con menos coraje que Guzmán, al no poder enfrentarse abiertamente, utiliza el recurso de pasar desapercibido en la lucha, de modo que como el ciego «usaba poner cabe sí un jarrillo de vino, cuando comíamos; yo de muy presto le asía y le daba un par de besos callados y tornábale a su lugar».[123]

Pero el principal recurso, y quizás el más antiguo, ante la insuficiencia, es evitar la propia presencia ante el oponente, para lo cual nada mejor que la carrera pedestre, actividad en la que pícaros y rateros en general son auténticos campeones diariamente adiestrados: «yo, aprovechándome del refrán que "a un diestro, un presto", me puse con tal presteza en la calle y con tal velocidad me alejé del barrio, que yo mismo, con ser buen corredor, me espanté» —dirá Estebanillo—.[124]

La soledad produce la insuficiencia del niño-pícaro, pero ante tal situación el pícaro no se abandona sino que, mediante el esfuerzo continuado, se convertirá poco a poco en autosuficiente. El «válete de ti» con que Antona se despide de Lázaro convirtiéndolo en un solitario, servirá para que éste, y con él todos los pícaros, ejerciten en mayor grado que los demás sus cualidades particulares:

---

122. *Guzmán,* p. 128.
123. *Lazarillo,* p. 50.
124. *Estebanillo,* p. 4.

> Frente a la compañía y participación en gentileza que postula y practica el Renacimiento, Lazarillo se siente y se sabe solo, aprende en un medio la enseñanza de salvarse individualmente.[125]

La lucha por sobrevivir es una lucha personal, y cada uno de los pícaros lo irá entendiendo así con el tiempo. No es de extrañar, por tanto, que el pícaro se vuelva egocéntrico y que sus actividades lo alejen más y más de los otros.

El pícaro es un inadaptado, aunque un inadaptado que, a toda costa, pretende su inmersión en la sociedad, por ello, a pesar de los fracasos, está siempre tomando contacto con nuevas gentes y con nuevos ambientes, sin despreciar ninguno, intentando localizar aquél donde pueda acomodarse en una relación recíproca que casi nunca llega. Eso hará que entable conversación con todo tipo de personas en cualquier lugar.

El diálogo puede, por ejemplo, iniciarse tras un encuentro fortuito en alguno de los múltiples viajes que los pícaros llevan a cabo por el medio más económico: a pie.

Caminar supone cansancio, pero también lentitud y aburrimiento, por lo que los pícaros entablan conversación y un cierto grado de amistad con cualquier viajero que les dé alcance o que los invite a montar esporádicamente alguna montura o carro.

En algunos casos, el conocimiento iniciado en el trayecto va a persistir durante un período considerable, transformándose en otro tipo de relación más profunda, pero lo normal es que, al llegar a la meta, los viajeros se separen y cada cual tome el rumbo que más le conviene.

---

125. P. Palomo, *La literatura clásica española,* ob. cit., p. 50.

Durante esos contactos pasajeros apenas se tiene acceso a un conocimiento superfluo del otro, las más de las veces fundamentado en mentiras o suposiciones falsas, exigidas por la ley del disimulo. Así Guzmán cree que la actitud del herrero que lo invita a montar sobre un asno es generosa y no pretende cobrarle el alquiler, pero su conjetura resultará demasiado ingenua; en el mundo agresivo donde se desarrolla la novela, difícil sino imposible será encontrar un ser desinteresado y un no-violento: «díjele: "hermano, lo del escote veislo aquí; pero la caballería no la debo, que con ella me convidasteis sin pedírosla". "Aun eso sería el diablo si quisiera haber venido de balde", volvió a replicar».[126]

Guzmán tendrá otros compañeros de camino y con ellos las relaciones tomarán muy distinto derrotero. Ya no será el niño pazguato recién salido de casa, sino un pícaro que va huyendo de la justicia y al que poco importa sobresalir. Lo único que pretende es pasar desapercibido.

La relación de Guzmán con aquel joven que había conseguido cierta cantidad de prendas de vestir por medio del hurto, apenas sobrepasa los términos de una transacción mercantil en la que cada parte pretende conseguir de la otra, al mejor precio posible y a base de los más sutiles engaños, lo que necesita. La mentira —eficaz elemento de disimulo— predomina en esta relación:

> Ya nos habíamos de antes hablado y tratado, pidiéndonos cuenta de nuestros viajes, de dónde y quién éramos. Él me lo negó; yo no se lo confesé: que por mis mentiras conocí que me las decía; con

126. *Guzmán*, p. 183.

esto nos pagamos. Lo que más pude sacarle fue descubrirme su necesidad.[127]

Tras la compra de los vestidos, con lo que ambos quedan satisfechos, lo más conveniente es separarse y olvidarse de la existencia del otro, pues tanto las prendas como la paga son robadas: «De allí nos despedimos: él se fue con la buena ventura, y yo, aunque tarde, aquella noche me entré en Toledo».[128]

Las relaciones esporádicas con otros viajeros son, pues, someras e indiferentes en la mayor parte de los casos. Ni siquiera cuando el compañero de viaje es clérigo se preocupa por la salud espiritual de los demás, sino que transcurre casi todo el trayecto sumido en sus meditaciones o platicando acerca de cosas frívolas y ajenas a lo que pudiera llegar a convertirse en una amistad espiritual.

Los clérigos que acompañan a Guzmán y al arriero se dedican a novelar sobre Daraja; el que hallan Pablos y don Diego en la venta está esperando una ocasión propicia para invitarse a cenar, y el fraile jerónimo que hace el viaje con Gregorio Guadaña se limita a imponer su criterio apelando a que forma parte del aparato inquisitorial: «y mire lo que habla, que soy calificador del santo Oficio; yo no sufriré una herejía a mi padre que venga del otro mundo».[129]

También intentan los futuros pícaros adquirir nuevas amistades en la escuela[130] y en los núcleos

127. *Ibíd.*, p. 242.
128. *Ibíd.*, p. 244.
129. *Vida de don Gregorio Guadaña*, ed. cit., p. 765.
130. Véase lo que se dijo sobre este asunto en el apartado «La institución escolar, la Universidad».

universitarios. En este último ambiente se dan dos casos opuestos en las relaciones amo-criado, el de las mantenidas entre Alonso y sus amos y el de las de Trapaza y Varguillas.

En efecto, el primer ejemplo presenta a un joven pícaro que llegado a la Universidad, se eleva intelectualmente y moralmente sobre sus amos, más entregados a las diversiones y a la molicie que a los estudios. Se trata de una inversión de papeles que sirve a Jerónimo de Alcalá para moralizar sobre las costumbres, para él equivocadas, de muchos estudiantes:

> Ya me preciaba de dar consejos a mis amos, reprendiendo sus travesuras, el salir de noche a correr los tostadores de castañeras [...] el poco acudir a escuelas, el quedarse en la cama viendo llover o nevar, el demasiado juego.[131]

El de Hernando es un caso manifiesto de frustración. Situado, merced a las ganancias del juego, en una posición de privilegio —estudiante de pago—, su dedicación a ocupaciones ajenas al estudio lo va haciendo descender peldaños hasta llegar a un estado de paridad absoluta en fortuna y camaradería con su mozo Varguillas: «y así ya no quiero —tendrá que admitir— que de hoy en adelante seas mi criado, sino mi compañero: la autoridad vaya fuera».[132]

El retorno a la pobreza va parejo con el retorno a la actividad paradelictiva. Herido por la mala fortuna, Hernando advierte que el acceso a una clase superior no le es posible, aunque lo ha intentado,

---

131. *El donado hablador,* p. 149.
132. *Aventuras del bachiller Trapaza,* pp. 447 y 448.

porque le fallan los fundamentos.[133] El trato de Hernando con los de una clase social más elevada variará sustancialmente; a partir de ese momento pasa de camarada a bufón de sus recientes compañeros.

Menos claras son las relaciones entre algunos pícaros y ciertas personas de conducta especial, un hecho que resultaba bastante común en el ambiente del hampa, las relaciones sodomitas a las que, en la mayor parte de los ejemplos, se ven obligados por la necesidad.

Ninguno de los protagonistas de la literatura picaresca refiere haber mantenido este tipo de relaciones, pero ello será probablemente a que la Inquisición no hubiera permitido la publicación de tales datos. Sin embargo, hay algunos elementos que confirman estas apreciaciones, y así en *Rinconete y Cortadillo* se considera la sodomía como uno de los peores males existentes sobre la faz de la Tierra:

> —¿No es peor ser hereje, o renegado, o matar a su padre y madre, o ser solomico?
> —Sodomita querrá decir vuesa merced.[134]

Por su parte, P. Hererra Puga presenta un extenso conjunto de casos de sodomía, la mayor parte entre niños y jóvenes marginados, apicarados, con adultos que les daban de comer y de vestir. Un cierto número de muchachos procedentes de la

---

133. «Con todos se comunicó luego y, curándose en salud, les dijo cómo había intentado hacer lo que muchos que se han salido con ello, que era introducirse a caballeros; pero que en él estaba violenta la autoridad y ya no podía más sufrirla» (*Aventuras del bachiller Trapaza,* p. 448).

134. *Rinconete y Cortadillo,* p. 207.

nobleza y otros de la «Casa de niños perdidos» o los niños expósitos estaban inmersos en ese vicio.[135]

No extraña en la época que miembros de determinados grupos étnicos o profesionales —moros, maestros, clérigos— se sintieran inclinados al vicio nefando. Algún predicador llegó a manifestar sin tapujos «que él había sabido fuera de la confesión muchísimas cosas de eclesiásticos seculares y algunos regulares de honradas familias y ellos, por sus personas, honradísimos y doctísimos, y aun predicadores famosos, que traían vestidos a las mil maravillas a algunos mancebitos boniticos de rostro y los regalaban como a cuerpo de reyes, con meriendas y comidas en sus celdas».[136]

Examinados estos y otros casos cabe interpretar que el fraile de la Merced en el tratado cuarto del *Lazarillo* tenía aficiones *non sanctas* y que el picaruelo decidió abandonarlo por no sufrir sus desviaciones, de ahí que comente: «y por esto y por otras *cosillas* que no digo, salí dél».[137] Cierto que, como afirma M. Molho, el fraile es mundano, libertino y vicioso, pero en ninguna manera se puede afirmar categóricamente, como lo hace el excelente hispanista francés, que tiene «tendencia a la pederastia» y que por ello Lázaro corre un púdico velo sobre las razones que tuvo para dejarlo;[138] tal afirmación parece un poco atrevida. Se evita, sí, detallar en qué consisten esas «cosillas», y el fraile se siente más atraído por lo mundano que por lo divino, pero esas «cosillas» pudieran ser una no des-

---

135. «Y estos eran mozuelos de hasta 17 años» (*Rinconete y Cortadillo,* p. 316).

136. *Ibíd.,* íd.

137. *Lazarillo,* p. 115. La cursiva es mía.

138. M. Molho, ob. cit., p. 42.

cartable relación con aquellas mujercillas que le llamaban «pariente» por eufemismo.

Más apropiado —por menos drástico— parece el comentario al respecto de F. Lázaro Carreter, para quien «la reticencia final —aquellas "otras cosillas que no digo"— parece aludir a asechanzas nefandas; es, en efecto, una figura retórica especialmente apta para sugerir materias escabrosas, eludiéndolas. Aun yendo a abreviar, el escritor ha aprovechado este recurso [...] para intrigar al lector con una insinuante malicia; y, sobre todo, para colocar a Lázaro ante un peligro nuevo».[139]

Habrá de permitirse al fraile y al joven pícaro el beneficio de la duda que, cuando menos, respeta la decisión del autor.

En cuanto a las relaciones entre pícaros adscritos a alguna asociación, la escasez de datos también es manifiesta, al no estudiarse en general desarrollos grupales, sino desarrollos individuales. Pese a todo, se encuentran algunas sociedades que tienen semejanzas con las bandas de salteadores a las que se incorporaron algunos pícaros en edad adulta. En estas asociaciones, que aparecen desordenadas y, sobre todo, eventuales, pocas veces toman plaza los niños-pícaros.

Guzmán se introduce en una de ellas para adquirir destreza en el pillaje,[140] pero su permanencia no llega más allá de su adiestramiento, y ni siquiera proporciona datos acerca del gobierno y la forma de actuar de la pandilla como tal. Él no es otra cosa que un ayudante, un aprendiz, más aten-

---

139. Ob. cit., pp. 158 y 159.

140. «Juntéme con otros torzuelos de mi tamaño, diestros en la presa. Hacía como ellos en lo que podía; mas como no sabía los acontecimientos, ayudábales a trabajar, seguía sus pasos, andaba sus romerías, con que allegaba mis blanquillas» (*Guzmán*, p. 194).

to a ver cómo transcurre la acción que a participar activamente en ella.

Pablos, sin embargo, se convertirá, una vez pasado el período de acoplamiento a la vida escolar universitaria, en el instigador de las correrías del grupo, del cual se ha convertido en cabecilla. Unos por diversión, otros por curiosidad, los más por participar de los beneficios que les reparta su compañía, se han ido agrupando a su alrededor hasta formar una verdadera compañía de maleantes.[141] No obstante, las relaciones Pablos - compañeros de grupo no superan los límites de un lazo momentáneo que une para la diversión y que se rompe al menor inconveniente o choque de caracteres.

La relación interpersonal más parecida a la amistad es la entablada por Rinconete y Cortadillo, que coinciden en la época de los quince años, una etapa que no puede resumirse en una fórmula simple. En esa edad las diferencias individuales tienen gran importancia, y las relaciones con los adultos más allegados pueden sufrir encuentros casuales pero de gran significación, ya que, según R.E. Muuss, «los quince años constituyen una época delicada de la maduración; pueden acarrear al joven problemas de conducta y llevarlo a la delincuencia, cosa que, en combinación con su espíritu de independencia, suele inducir un deseo vehemente de abandonar la escuela y el hogar».[142]

También la etapa de los catorce años presenta unas características especiales, pues la sociabilidad del chico de esa edad «se expresa por medio del

---

141. «Así prometí a don Diego y a todos los compañeros, de quitar una noche las espadas a la misma ronda. Señalóse cuál había de ser, y fuimos juntos, yo delante» (*Buscón,* p. 61).

142. R.E. Muuss, *Teorías de la adolescencia,* Buenos Aires, Paidos, 1972[3], p. 159.

gran interés en la gente [...] Sus amistades se basan en intereses comunes, en la compatibilidad de rasgos personales»,[143] etc.

Entre los catorce y los quince años están ambos jóvenes que, en efecto, han tenido problemas de conducta, uno por aficionarse al dinero fácil, otro por falta de cariño en su casa, y esos problemas han sido los que los han introducido en la vida picaresca.

La compatibilidad de sus rasgos personales se manifiesta desde el primer momento. Rinconete, percatado de ello, decide abrir su corazón a Cortadillo, aunque éste se encuentre todavía reacio a facilitarle las cosas.[144]

La atracción que sienten el uno por el otro se traduce en hechos y palabras. Cortadillo, que estaba retraído, agradece la sinceridad de su compañero y se muestra ya dispuesto al intercambio personal amistoso, que se ha de sellar definitivamente con un abrazo: «Y levantándose Diego Cortado, abrazó a Rincón, y Rincón a él, tierna y estrechamente».[145]

Su amistad, como apunta Rincón, va a ser perpetua, sus intereses, idénticos, y su actuación, conjuntada. Cuando sea necesario uno guardará las espaldas del otro como si fueran las suyas propias.

En cuanto a la sociedad dirigida por Monipodio, de la que he hablado con anterioridad, es realmente aduana y escuela de ladrones, tal como explica el cofrade mayor al recién llegado Cortadillo:

---

143. *Ibíd.*, p. 158.

144. «Porque imagino que no sin misterio nos ha juntado aquí la suerte, y pienso que habemos de ser, déste, hasta el último día de nuestra vida, verdaderos amigos» (*Rinconete y Cortadillo*, p. 196).

145. *Rinconete y Cortadillo*, p. 198.

«A puerto y a escuela habéis llegado donde ni os anegaréis ni dejaréis de salir muy bien aprovechando en todo aquello que más os conviniere».[146]

Claro que el modo de vida de los pícaros allí congregados no es dechado de virtud, pero se constatan ciertos niveles de amistad, respeto, confraternización y ánimo de defensa de los intereses comunes ciertamente loables.

Si existen roces, incluso violencias, entre ellos, se debe al régimen que preside sus actividades. Lo principal es que el antro de Monipodio se contempla como un sitio seguro de auxilio en casos de dificultad y una academia de más altos vuelos delictivos.[147]

La hermandad es además una institución modélica, calcada de las asociaciones gremiales de la época y, como ellas, en posesión de normas y reglas de conducta que todos deben acatar y cuya infracción puede suponer la muerte de los cofrades: «Nadie se burle con quebrantar la más mínima cosa de nuestra orden —dirá Monipodio— que le costará la vida».[148]

El cofrade mayor ostenta la autoridad absoluta, bienquista por todos, y ante la cual no pueden oponerse peros.[149]

Normas truhanescas forman código en muchas de las ciudades donde se reúnen grandes aglomeraciones de pícaros. Por ello Guzmán es apercibido

---

146. *Ibíd.*, p. 213.

147. «Asentado sobre este fundamento media docena de liciones, yo espero que habéis de salir oficial famoso, y aun quizá maestro» (*Rinconete y Cortadillo,* p. 212).

148. *Rinconete y Cortadillo,* p. 214.

149. «Todo lo cual fue poner más fuego a la cólera de Monipodio y dar ocasión a que toda la junta se alborotase, viendo que se rompían sus estatutos y buenas ordenanzas» (*Rinconete y Cortadillo,* p. 214).

al respecto, durante su estancia en Roma, por un anciano mendigo.

En *La vida del pícaro* aparece una sociedad similar a la de Monipodio:

> Establescieron una cofradía
> esenta y aragana para todos,
> según su calidad lo requería.[150]

Esta sociedad tiene una nota característica: sus cuatro fundadores son hermanos; por lo demás coincide en multitud de aspectos con la que Cervantes desarrolla en *Rinconete y Cortadillo.*

El medio eclesial, la religión

Es sabido que la influencia ejercida por el elemento eclesial en la época de los Austrias no se debía sólo a las ideas imperialistas que proclamaban a España pueblo escogido por Dios para defender los intereses divinos, y que presentaban en cierto momento como modelo de emperador la figura de Carlos V. Desde la época de sus abuelos maternos se advierte que un pueblo con diferencias de credo es un pueblo dividido, y que uno de los cauces más eficaces para defender la unidad territorial es obtener una unidad de criterios. Para conseguir esta unidad religiosa había influido de modo notable, en el ánimo de la reina Isabel, el dominico Torquemada.

Uno de los medios utilizados para conseguir la uniformidad de creencias —la expulsión de judíos y moriscos— no impidió, sin embargo, que multi-

150. Ed. cit., p. 215.

tud de confesos permanecieran en la península, especialmente en zonas donde habían morado sus antecesores: Toledo, Levante, Andalucía y Aragón.

La lucha conjunta de la Iglesia y el Estado por mantener la unidad religiosa se convirtió a veces en lucha personal establecida por algún personaje encumbrado —como en el caso del cardenal Martínez Silíceo, procedente de familia humilde—, contra los miembros del cabildo que, pese a ostentar una ascendencia brillante, no todos podían demostrar su limpieza de sangre.

La literatura picaresca tiene muy presente la coyuntura religiosa, en especial lo que hace referencia al semitismo sentido artificialmente como una auténtica desgracia. Bien lejos de la posición mantenida por la mística carmelitana en su intento de soslayar el problema equiparando a los hombres sin tener en cuenta sus antecedentes étnicos[151] y culturales, en la picaresca se saca partido —casi siempre humorístico— a una situación que origina graves tensiones sociales.

Atento a cualquier detalle socio-cultural en el que incidir con sorna, Quevedo sabe elaborar minuciosamente escenas donde se caricaturizan las consecuencias de una política religiosa interesada, pues no puede olvidarse que «aunque aproveche de continuo el ejemplo de los grande satíricos de la an-

---

151. La mística carmelita que tiene su origen y fundamento en santa Teresa no olvida que ésta era de ascendencia conversa, ascendencia que, desde luego, ella nunca había ocultado o negado, algo que sí hace fray Luis de León. Véase sobre el tema F. Márquez Villanueva «Santa Teresa y el linaje», en *Espiritualidad y literatura en el siglo XVI,* ya citada, pp. 139-205, especialmente, 151. También V. García de la Concha, «Teresa de Jesús y su circunstancia histórica», en *El arte literario de Santa Teresa,* Barcelona, Ariel, 1978, pp. 13-46, donde lleva a cabo un repaso de los principales estudios sobre esta cuestión.

tigüedad [...] su burla brota sobre todo de la observación directa de las debilidades y malicias de los hombres que le rodean».[152]

En este sentido hay que interpretar la reacción contundente de Poncio de Aguirre cuando se siente identificado por Pablos con el procurador romano homónimo, lo que justificaría su extremada cólera: «Yo, por darle gusto a mi amigo, llaméle Poncio Pilato. Corrióse tanto el hombre, que dio a correr tras mí con un cuchillo desnudo para matarme».[153]

El miedo a sentirse acusado ante el tribunal de la Inquisición en la vida real era tan grande que a nadie extrañará si más adelante el mismo Pablos saca partido de él para conseguir del ama unos sabrosos pollos con los que celebrar un banquete en compañía de sus camaradas, aunque en este caso no se trata de problemas de linaje.[154]

Pero si el número de conversos que permanecieron disfrazando su genealogía era grande, apenas suponía un 20 % de la población, y un tanto por ciento muy similar estaba formado por los eclesiásticos.

Sin embargo, las situaciones de unos y otros eran completamente opuestas. Mientras que aquéllos, dedicados a la agricultura, la pequeña industria y el comercio, estaban sobrecargados de impuestos, los eclesiásticos, que mediante donaciones o compras se habían hecho con una buena porción del reino en su poder, estaban eximidos de tributos.

Por ello eran muchos los hidalgos, segundones y

---

152. C. Cuevas, «Quevedo y la sátira de errores comunes», en *Edad de Oro,* II, Madrid, Universidad autónoma, 1983, p. 69.

153. *Buscón,* p. 27.

154. «No os burléis de los inquisidores, decid que fuisteis una boba y que os desdecís, y no neguéis la blasfemia y el desacato» (*Buscón,* p. 61).

mozos de todo tipo que, sin tener vocación, se incorporaban a la nómina de los ordenados.[155]

No puede, pues, extrañar que los amos de Alonso, cuando ven comprometida su existencia, se decidan a tomar hábito, como se vio, o que se presente un clérigo gorrón en el *Buscón,* varios clérigos avarientos en el *Lazarillo*[156] y un ermitaño ladrón en *La niña de los embustes,* toda la tipología humana, en fin, ejemplificada en una clerecía que el mismo Góngora asumirá para tener con qué vivir sin agobios.

La apreciación que los pícaros hacen de la Iglesia se restringe al ámbito local, sobrepasando apenas la línea que sirve de frontera al arzobispado.

Las relaciones de los pícaros con los profesionales de la institución eclesial —ya se apuntó antes— no revisten influencia religiosa alguna, y se limitan en el mejor de los casos a un contacto amo-criado o profesor-discípulo. Los religiosos, la misma actividad eclesial, salen bastante malparados cuando un pícaro se acerca a sus dominios.

El clérigo avaro no quita ojo de la bandeja que pasa Lázaro, llevando cuenta exacta de cada mone-

---

155. «El número de los que se han ordenado de primeras órdenes en los últimos años es tan grande que apenas se halla un mozo soltero en muchos lugares que no esté ordenado en ellas; y muchos de crecida edad, después de haber enviudado, las procuran y consiguen, y casi todos las desean para gozar del privilegio del fuero, vivir con más libertad, excusarse de pagar tributos y otros motivos temporales» (*Historia de España y América, social y económica,* ob. cit., t. III, p. 253).

156. «De los nueve amos que tuvo Lázaro —dirá M. Molho— cinco fueron eclesiásticos. Henos pues aquí, en presencia de una galería de retratos, de exageradas criaturas, en donde, como siempre en este enigmático librito, la risa forcejea con la cólera y la amargura con la alegría vengadora. La *vida de Lázaro* es de un anticlericalismo desbocado, agresivo, total; se extiende a todo el clero sin excepción, ya sea regular o secular» (ob. cit., p. 41).

da que en ella cae; los sacerdotes seculares apenas conocen el latín y se dejan embaucar por cualquiera que lo chapurree o que lo aparente.[157]

Las altas jerarquías de la Iglesia incorporadas a la picaresca no sienten ningún sonrojo por manifestar la alegría que les producen determinados actos delictivos, algo opuesto, desde luego, al mandamiento nuevo, y así el Cardenal se burla al enterarse de la escapada de Estebanillo con los vestidos que le servirían para interpretar una escena como Niño Rey de León: «Contáronle mi fuga al Cardenal, el cual respondió que había hecho muy bien en haberme huido de los enemigos de la fe».[158]

Con todo, este cardenal es tal vez el único miembro de la Iglesia que, pese a sus chanzas, se muestra generoso con un pícaro, ofreciéndose a abonar el precio de las ropas con que había huido el muchacho para impedir su persecución y captura.[159]

Por su parte, el capellán, que pone en poder de Lázaro un asno, cuatro cántaros y un azote, no lo hace tan desinteresadamente que no cobre su alcabala, como refleja un parlamento de Lázaro: «Daba cada día a mi amo treinta maravedís ganados y los sábados ganaba para mí».[160]

Puede, por tanto, asegurarse que en la literatura picaresca, aunque no es su intención primaria,

---

157. «Y si sabía [el buldero] que los dichos clérigos eran de los reverendos, digo que más con dineros que con letras y con reverendas se ordenan, hacíase entre ellos un Santo Tomás y hablaba dos horas en latín» (*Lazarillo,* p. 120).

158. *Estebanillo,* p. 18.

159. «Que sin duda me había vuelto a León, pues era mi corte, y que desde allí mandaría restituir el vestido; y que en el ínter él pagaría el valor dél, y que así no tratasen de asirme, porque no quería dar disgusto a una persona real, y más en días de sus años» (*Estebanillo,* p. 18).

160. *Lazarillo,* p. 135.

se hace una crítica muy intensa de la institución eclesial, en sus miembros, en sus ritos y en su actividad mundana.

A pesar de que el contacto del pícaro con la religión, Dios y la Iglesia suele ser bastante frío, el pícaro conoce las verdades fundamentales de la fe, y a veces nos deja asombrados con sus amplios conocimientos escriturísticos. No obstante, su educación moral, influida sin duda por la relajación de costumbres imperante, no se distingue por la puesta en práctica de las obras de misericordia o de los mandamientos de la ley de Dios o de la Iglesia.

Lázaro, que establece contacto con mayor número de allegados a la Iglesia —un clérigo, un fraile, un buldero, un capellán, el arcipreste—, de los cuales no recibe ningún ejemplo edificante, es quien hace gala de una moral más elevada, llegando a privarse de comer para satisfacer el hambre del hidalgo.[161]

Periquillo el de las gallineras es un caso excepcional. Apenas se puede admitir que sea un pícaro, ya que su grado de perfeccionamiento espiritual raya en la santidad, motivado por las virtudes de sus padres adoptivos. Ante el deseo de su amo pidiendo a Dios en su presencia que le haga bueno, contesta: «Él te pague este deseo, pues no hay más que adquirir en la vida».[162]

El joven ha hecho profesión interior y sus votos le impiden acceder, como otro José, al amoroso deseo de su compañera de servicio y posteriormente de su ama.

---

161. «Y antes le había lástima que enemistad. Y muchas veces, por llevar a la posada con que él lo pasara, yo lo pasaba mal» (*Lazarillo,* p. 99).

162. *Periquillo el de las gallineras,* p. 975.

Poco más adelante, aún con 16 años, convertido en dechado de virtudes se duele del ciego y le ayuda.[163]

El muchacho llega a tal extremo de perfección que F. Santos se atreve a ponerlo en una situación muy similar, pese a lo alegórico del caso, a la que resolvió Cristo cuando el intento de lapidación de la mujer cogida en adulterio:

> Aquí vio que las lenguas que eran contra ella dieron poder a las manos, empezando a ultrajarla, y tanta gente cargó sobre ella que la ahogaban. Aquí el compasivo joven, viendo que nadie volvía por ella, ni ella arrojaba razones en su defensa, se puso a su amparo.[164]

Poco a poco la novela se va haciendo más y más moralizante, hasta el punto de comenzar el discurso XV con una bienaventuranza. Por último, la muerte de Periquillo se produce en olor de santidad, con la negación de toda herejía, el rezo del Credo y la confesión de sentirse pecador.

Pero este es un caso de excepción. En los demás la virtud es escasa y las relaciones con la Iglesia y sus miembros cualificados, pobre o casi nula, cuando no se les hace indigesta a los pícaros.[165]

Los amoríos de Pablos con una monja no dejan tampoco en buen lugar a las consagradas a Dios, si bien no consigue de ella, como otros galanes, más que cartas y toses. El retrato las deja malparadas:

---

163. «La piedad de Pedro no hubo menester más para llegarse a él, y asiéndole por las manos [...] le fue guiando algunos pasos hasta que el ciego se paró» (*Periquillo el de las gallineras,* 979).

164. *Periquillo el de las gallineras,* p. 986.

165. «Lo que pasé con mi tío vaya en descuento de mis pecados: el poco dormir, el mucho madrugar, el andar de día y de noche, era insufrible» (*El donado hablador,* p. 146).

> Porque acabé de conocer lo que son las monjas [...] las Bautistas todas enronquecieron adrede, y sacaron tales voces, que en vez de cantar la misa, la gimieron, no se lavaron la cara, y se vistieron de viejo.[166]

Por motivos menos mundanos que los de Pablos, y si soslayamos a Periquillo, se observa que la visita voluntaria[167] a los templos por parte de los niños y jóvenes pícaros es escasa.

Guzmán parece ser el más asiduo en la primera etapa de su vida, pues apenas abandonado el hogar entra en una iglesia para poner en las manos de Dios su vida. También será Guzmán uno de los poquísimos pícaros que participen de la misa, haciéndolo, además, diariamente y asistiendo en determinados días festivos a celebraciones especiales: «Lo primero cada mañana era oír una misa [...] Como una vez me levantase tarde y no bien dispuesto, parecióme no trabajar. Era fiesta. Fuime a la iglesia, oí la misa mayor y un buen sermón».[168]

A continuación el muchacho medita acerca de lo oído, percatándose de que las enseñanzas del predicador agustino no estaban dirigidas solamente a los profesionales de la Iglesia, sino a todos sus miembros. Los remordimientos de conciencia le impiden conciliar el sueño, pero en seguida acalla sus razonamientos moralizadores haciéndose a la idea de que, aunque también se dirigieran a él, las enseñanzas contenidas en el sermón iban en mayor

---

166. *Buscón,* p. 182.

167. Las repetidas misas durante cuyos ofertorios el clérigo de Maqueda no pierde ojo de las blancas que caen en el cepillo han de suponerse una servidumbre de Lázaro. Como tal ha de interpretarse también su asistencia a sermones y otros oficios de culto en compañía del buldero.

168. *Guzmán,* p. 200.

grado dirigidas a los magnates de la Iglesia y del Estado.[169]

Guzmán se consuela de su vileza interior advirtiendo que aún hay pícaros con virtud, lo que supone que incluso los pícaros se pueden salvar.

Esta misma idea, rayana en lo reformista, puede advertirse en el caso de la cofradía de Monipodio. Allí el sentimiento de culpabilidad procura acallarse a base de velas y limosnas a los santos, y esto no sólo por parte de la vieja santera, sino, y en especial, por las jóvenes pícaras, que pretenden estar en buenas relaciones con los bienaventurados, conocidos o desconocidos: «Y echando mano a la bolsa le dio otro cuarto, y le encargó que pusiese otras dos candelicas a los santos que a ella le pareciesen que eran más aprovechados».[170]

De igual manera actúa el ama con quien Pablos se ha concertado al 50 % de la sisa, retratada por Quevedo como beata con un par de pinceladas llenas de ironía: «Contaba ciento y tantos santos abogados suyos, y en verdad que había menester todas estas ayudas para desquitarse de lo que pecaba».[171]

La idea de Dios aparece en la picaresca desvirtuada por las supersticiones; el pícaro busca en la divinidad aquello que justifique su manera de ac-

---

169. «Pero a mi juicio [...] con quien habló, más que a religiosos y comunidad, fue con los príncipes y sus ministros de justicia» (*Guzmán,* p. 201).

170. *Rinconete y Cortadillo,* p. 218.

171. *Buscón,* p. 60. Hay en la frase un evidente matiz hiperbólico que acentúa la caricatura sin llegar a lo desmesurado de otras expresiones, especialmente en su poseía burlesca, como los sonetos dedicados a «Un hombre de una gran nariz», a «Una mujer puntiaguda con enaguas», el «Epitafio a una dueña», construidos, como muy bien expresa J.M. Blecua, «a base de una serie ininterrumpida de comparaciones, imágenes y metáforas hiperbólicas, desrealizadoras hasta límites extremos» («Introducción» a F. de Quevedo, *Poemas escogidos,* Madrid, Castalia, 1970, pp. 30 y 31).

tuar. Dios sirve también como pañuelo de sus lágrimas y como oidor cuando se trata de quejarse de la sociedad.

Es un Dios de las civilizaciones paganas, de las religiones anteriores al cristianismo, veterotestamentario, el Dios que proporciona el alimento y los golpes favorables de fortuna, el principio del bien, un casi Mazda en constante oposición al diablo.

Por su parte el diablo también hace acto de presencia en la novela picaresca. Él es el causante —previo permiso divino en Periquillo— de la mayor parte de los males que afligen al pícaro, y por tanto, principio activo de su degradación.

J. Blanquat, repasando la introducción de Lázaro en la vida —picaresca—, se interroga: «Pourquoi ne pas saisir les mots dans leur plein sens? C'est un "diable de taureau"»[172] y un poco más arriba dice: «Nous savons bien que l'expression "saber un punto más que el diablo", empruntée au langage familier, n'a pas un sens religieux très precis. Mais elle est insérée dans un contexte où les allusions ironiques à la vie spirituelle abondent».[173]

Si se toma en sentido literal la aparición del diablo, resulta que tal acontecimiento provoca las desventuras del niño, pero al mismo tiempo el diablo se convierte en un ente digno de emulación. Acaso recordando el refrán que supone sabio al diablo por su longevidad, diga el ciego que el muchacho debe emularlo, sobre todo en lo que respecta a todo tipo de artimañas, alabadas por el viejo amo invidente como virtuosas.

---

172. J. Blanquat, «Fraude et frustration dans le *Lazarillo de Tormes*», en *Culture et marginalités au XVIe siècle,* París, Klincksieck, 1973, p. 52.

173. *Ibíd.,* íd.

Será también el diablo quien proporcione, por medio de Andonza de San Pedro, la mayor parte de las ganancias en casa de Pablos-niño, pero no por ello sale bien parado en la obra de Quevedo. El pícaro, quizá parodiando el segundo mandamiento, *toma el nombre del diablo en vano* cuando, al convertirse en escritor de comedias lo convierte en gracioso:

> Había sus ánimas de Purgatorio y sus demonios, que se usaban entonces con su bu, bu al salir, y ri, al entrar; caíale muy en gracia al lugar el nombre de Satán en las coplas.[174]

Pese a ello, la presencia de ritos mágicos y la profesión de brujería que ejerce la madre de Pablos recuerda que el influjo de Celestina permanece, y que el pueblo, especialmente las clases humildes, está inmerso en un mundo en el que parece posible todavía «arrancar a la naturaleza la producción de ciertos fenómenos, fuera del curso ordinario y según la voluntad humana los desea».[175]

La ordenación del mundo, que permitía saber de antemano el efecto de determinadas acciones, se puede observar en el cumplimiento de las profecías que en la etapa infantil había expresado el ciego a Lázaro.

El oposicionismo Dios-Diablo y sus respectivas fuerzas del bien y del mal, que no extrañaba en la obra de Berceo, todavía se identifica en el *Lazarillo* como muestra indudable de medievalismo: «Y cuando dábamos sacramento a los enfermos [...] con todo mi corazón y buena voluntad rogaba al Señor

---

174. *Buscón,* p. 176.

175. J.A. Maravall, *El mundo social de la «Celestina»,* Madrid, Gredos, 1976, p. 149.

[...] que se le llevase de aqueste mundo. Y cuando alguno déstos escapaba, Dios me lo perdone, mil veces le daba al diablo».[176]

Cierto que el pueblo sublima en ocasiones su temor ancestral al diablo convirtiéndolo en un sujeto simpático,[177] pero ello no significa que se haya desembarazado de sus supersticiones, y, mucho menos, superado su concepto bipolar del más allá, un espacio en donde otros seres de características sobrehumanas, los ángeles, pueden ser incorporados a la picaresca, siendo por supuesto, emisarios del bien: «que fue ángel [el calderero] enviado a mí por la mano de Dios en aquel hábito».[178]

De la Virgen, objeto de culto especial en la Iglesia desde el impulso cisterciense, también se encuentran en la picaresca numerosas alusiones, pues varios pícaros o personajes próximos sienten por ella una firme devoción.

Al entrar Rinconete y Cortadillo en la mansión de Monipodio se encuentran en una sala baja, una especie de oratorio en el que se observaba «pegada a la pared una imagen de Nuestra Señora, destas de mala estampa»,[179] y la vieja Pipota tiene a cada

---

176. *Lazarillo,* p. 68.

177. «Así de toda la caterva demoníaca, la superstición popular había individualizado al Diablo Cojuelo, nombre habitual en conjuros y encantamientos, y de quien se aseguraba que "puede más", que "corre más que todos", que "es buen mensajero"» (F. Rico, «Prólogo» a *Lazarillo de Tormes. Diablo Cojuelo,* ob. cit., p. 15). Otros diablos, menos providenciales, toman contacto con Guzmán durante su estancia en Génova, aquellos «cuatro bultos, figuras de los demonios, con vestidos, cabelleras y máscaras dello» que lo levantan de la cama y lo mantean por más que el pícaro se deshace en cruces, reza e invoca a Jesucristo. Son, para su desgracia, «demonios baptizados» ante los que no sirven los conjuros clásicos. *Guzmán,* p. 277.

178. *Lazarillo,* p. 70.

179. *Rinconete y Cortadillo,* p. 218.

momento su nombre, bien respaldado por un coro de santos, en los labios.

Periquillo la invoca al fin de sus días, aprovechando F. de Santos el momento para difundir la idea, generalmente aceptada desde su defensa por Paulo V en 1605 y Gregorio XV en 1621, de la Inmaculada Concepción de María, y mediatizado sin duda por las declaraciones en favor de su proclamación como dogma hechas por Alejandro VI en 1661.[180]

El ama con quien Pablos concierta sus robos posee un enorme rosario que reza todas las noches;[181] el mismo pícaro compondrá una comedia en honor de Nuestra Señora del Rosario, y Guzmán no olvida la devoción a la Virgen, manifestándola con el rezo de las cincuenta avemarías.[182]

El rosario, devoción mariana por excelencia, ha dado lugar a una nueva advocación tan entrañable para el pueblo que los pícaros la utilizarán como talismán infalible a la hora de pedir limosna.

Pero si el nombre de María aparece esporádicamente en labios de los pícaros, casi siempre para

---

180. *Periquillo* saldrá a luz durante 1688, en pleno auge del fervor mariano, especialmente en Sevilla, cuyos ciudadanos defendían como punto de amor propio y hasta personal e íntimo, el dogma de la Inmaculada, no definido como tal hasta 1854, en época de Pío IX. La expresión del picaruelo no deja lugar a dudas en este sentido: «Pido a tu Santísima Madre, a quien confieso concebida en gracia y gloria, interceda por mí ante Ti» (*Periquillo,* p. 1.043).

181. Esta dicotomía manifiesta —devoción/pecado— es objeto siempre de la crítica de Quevedo. El autor del *Buscón* desprecia profundamente este tipo de actitud que le resulta irracional y en el que «la mente humana, cargada de pereza y superstición, muchas veces de miedos absurdos, y siempre de prejuicios, se deja al desnudo en toda su patética endeblez» (C. Cuevas, «Quevedo y la sátira de errores comunes», art. cit., p. 72).

182. «Ya sabes mis flaquezas, quiero que sepas que con todas ellas nunca perdí algún día de rezar el rosario entero con otras devociones» (*Guzmán,* p. 200).

obtener el favor público, el nombre de Dios lo hace con mucha frecuencia, y las meditaciones sobre sus propios infortunios tienen casi siempre por destinatario al Todopoderoso. Del mismo modo que la impetración de limosna surte efecto invocando a María —acaso poniéndola por testigo de la necesidad y de la generosidad—, la buena fortuna del pícaro está basada en la acción directa de Dios, que se le presenta, incluso, físicamente: «Cuando no me cato, veo en figura de panes, como dicen, la cara de Dios dentro del arcaz».[183]

El contacto de Lázaro-niño con Dios es directo, pleno de naturalidad, agradecido por los beneficios que recibe, pesaroso por los males que soporta, convertido en oración verdadera y continua:

> ¡Oh, Señor mío! —dije entonces—. ¡A cuánta miseria y fortuna y desastres estamos dispuestos los nacidos y cuán poco duran los placeres desta nuestra trabajosa vida![184]

Por fas o por nefas el niño se había de contagiar de esta continua relación con Dios, aprendiendo no sólo las plegarias más usuales, sino a comunicarse de tú a tú con el Creador y con la Virgen.

El mismo Pablos, que no es muy dado a las prácticas religiosas, al meterse a poeta escribe lo que le pide a este respecto un ciego: «Escribí para un ciego, que las sacó a su nombre, las famosas [coplas] que empiezan: Madre del Verbo humanal, /

---

183. *Lazarillo,* p. 70. La diferencia entre este episodio del arca y el de Guzmán en Génova es muy considerable. Mientras Lázaro, presa de la necesidad, roba migajas de pan para engañar el hambre, Guzmán roba por despecho y por gula.

184. *Lazarillo,* p. 73. Y algo más adelante, «y seguíle dando gracias a Dios por lo que le oí» (p. 86).

Hija del Padre divino / dame gracia virginal, etc.».[185]

Inmersos en una sociedad de ficción que retrata un mundo donde la Iglesia es elemento activo de primera clase, los pícaros tienen muy presentes a Dios, la Virgen, la Corte de Bienaventurados y a todos sus oponentes celestes y terrestres.

Claro que si la presencia de Dios es manifiesta en toda la picaresca, no es menos verdad, como ya se advirtió anteriormente, que las prácticas religiosas no gozan de muchos adictos. Sólo en dos casos se especifica, pese a que se suele presentar la vida de los pícaros desde su nacimiento, la aplicación del bautismo. Se trata de Estebanillo, bautizado en la ciudad eterna, y ¡cómo no!, de Periquillo, quien al principio de la obra deja en la duda a sus padres adoptivos acerca de si deben bautizarlo o no. Por fin, tras el anuncio de que algo va a ocurrir[186] aparece el dato decisivo: Periquillo es de padres creyentes que se manifiestan deseosos por escrito de que reciba el sacramento: «Sólo pido por amor de Dios —dirá la nota— me den el Santo Bautismo, y en su dichoso voto sea mi nombre Pedro, que así se llama mi padre».[187]

De la confirmación aparece un solo ejemplo, y ha de ser el mismo Periquillo quien aclare en qué consiste el sacramento, lo cual, dado el carácter de la novela, no parece sino querer dejar constancia de que su práctica era poco común y que por término medio no se recibía.[188]

---

185. *Buscón,* p. 176.

186. La aparición de una estrella girando con movimientos nunca vistos, como la que guía a los magos, permite la comparación de Periquillo con Jesús.

187. *Periquillo,* p. 964.

188. «Se da el Espíritu Santo, para alentarnos y confortarnos contra los tiranos y demonios que persiguen la Fe» (*Periquillo,* p. 1.033).

Sobre la confesión y su acercamiento a ella, las noticias son más abundantes, y así el padre de Pablos, jugando con el sentido de las palabras señala que es fiel cumplidor del tercer mandamiento de la Iglesia: «nunca confesé sino cuando lo mandaba la Santa Madre Iglesia».[189]

El ama de Alcalá es uno de los personajes más inclinados al culto y a la recepción de sacramentos, hechos que la configuran en una santurrona, ya que, además de rezar noche y día, confesaba y comulgaba cada ocho días.

La conciencia de pecado abunda entre los pícaros, pero a muy pocos los lleva a la confesión de sus culpas. Como apunta Casalduero, «la picaresca hace sentir el bien pintando lo que es el hombre desamparado de la gracia divina. Haciéndonos sentir la realidad sin Dios, sentimos mejor la necesidad de Dios».[190]

Es posible que ocurriese así en determinado tipo de lectores, pero en los protagonistas de las obras esa necesidad se concretaba, casi en exclusiva, en lo material.

Así Estebanillo, más necesitado de perdón que el estudiante moribundo, manda buscar para éste un confesor, mientras él se dedica a aliviarlo del bulto que la bolsa produce bajo la ropa de la cama.

No obstante el afán desmitificador del momento final por los autores de las novelas del género, la hora de la muerte parece ser el momento preferido para proporcionar la absolución de los pecados.

Todo se alía, por ejemplo, para que el padre de

---

189. *Buscón,* p. 23.

190. J. Casalduero, *Sentido y forma de las «Novelas ejemplares»,* Madrid, Gredos, 1969, p. 104.

Trapaza muera en paz con la Iglesia y con Olalla después de recibir el sacramento:

> Confesáronle, y, sabiendo el confesor por lo que estaba preso, le persuadió que cumpliese con la obligación que le debía a Olalla, porque Dios le diese salud.[191]

La asistencia a «oír» misa aparece también en diferentes pícaros, pero quizás el más revelador en lo que a su aspecto negativo se refiere no sea el de Guzmán, que lo hacía por auténtico deseo de dar culto, sino el de Hernando, que lo hace por devoción a una dama.

Ése sería, junto con el apetito de sajar alguna bolsa o el de apoderarse de algún pañizuelo, el principal motivo de la asistencia de los pícaros, pequeños y grandes, a la celebración eucarística y a otros actos de culto que han de ser, en buena lógica, de la Iglesia católica.

También se aproximaban los pícaros reales y los de ficción a las puertas de los templos, especialmente los domingos y fiestas de precepto para pedir limosna. Lázaro, enseñado en esto por su primer amo, sabe, en caso necesario, ir de puerta en puerta invitando a la caridad en nombre del Creador.

Pablos ha aprendido a clamar de muy diversas maneras para conseguir donativos; Guzmán es capaz, en período de vacas flacas, de comer la sopa boba de los conventos,[192] convirtiéndose en estos

---

191. *Aventuras del bachiller Trapaza,* p. 433. También el deseo de una confesión general de sus faltas ronda el corazón de Guzmán, pero no llega a concretarse.

192. «Acomodéme a la sopa, que la tenía cierta; pero había de andar muy concertado relojero: que faltando a la hora prescribía quedándome a escuras». (*Guzmán,* p. 194).

menesteres en uno de los más refinados pícaros, no importándole sustraer el jarrillo con el cual las monjas lo socorren cuando tiene sed. Tal actividad delictiva será causa de que sus benefactoras pidan algo a cambio antes de dar el recipiente con el agua.

El mismo Pablos, al final de la novela, hace uso del derecho de asilo en el recinto sagrado, y lo utiliza como residencia y centro de reuniones y amoríos: «Y al fin nos acogimos a la Iglesia Mayor, donde nos amparamos del rigor de la justicia, y dormimos lo necesario para espumar el vino que hervía en los cascos».[193]

Peor parado saldrá Periquillo, mozo de ciego, cuando, huyendo de los enfurecidos jugadores de pelota, se refugia en lugar sagrado, porque «hasta bien dentro le siguieron algunos atrevidos».[194]

El contacto niño-pícaro y adulto con la Iglesia había de ser, debido a la especiales relaciones del estamento social con el eclesial, constante. Sin embargo, este roce, esta forzada filiación, no va a proporcionar beneficios para los pícaros, sino que los pone en guardia ante los religiosos.

Solamente en contadas excepciones, el pícaro se acercará y se introducirá de forma más intensa en la religión. En resumidas cuentas, Dios no llega a penetrar en la vida del pícaro para transformarlo; permanece ajeno, lejano, sin trascendencia a nivel personal. Ante Dios no hay respuesta moral práctica; todo se queda en la intención.

La práctica cotidiana demuestra que vivir al margen de la colectividad y de la Iglesia, en una sociedad paralela que no se rige por las normas establecidas, es más sencillo.

---

193. *Buscón,* p. 187.
194. *Periquillo,* p. 983.

La masa popular, pese al movimiento compulsivo que supone la Contrarreforma, está descristianizada, y los que debían revitalizar su desarrollo prefieren vivir desinteresados de la cuestión. El picarillo, real y de ficción, es uno de los que sufren las consecuencias.

LA PERSONALIDAD DEL NIÑO-PÍCARO

La descripción externa del pícaro en materia de vestuario y aseo suele pasarse por alto, y su omisión puede justificarse por el hecho de que casi todos sus autores son varones, aunque tampoco M. de Zayas propone una descripción general de su Marcos, limitándose a dibujar un par de rasgos: «Era don Marcos de mediana estatura, y con la sutileza de la comida se vino a transformar de hombre en espárrago».[1]

La descripción de los rasgos físicos de los pícaros no pasan más allá de alguna particularidad individual, mínima por otra parte.

En el caso de las chicas, la descripción de sus rostros y de sus talles nos acercan algo más a su retrato, pero todas van a ser de buena cara y mejor compostura, afirmándose siempre que en el mundo donde se desenvuelven, aunque no valiesen mucho,

1. M. de Zayas, *El castigo de la miseria,* en *La novela picaresca,* ob. cit., t. II, p. 674.

con su garbo, su limpieza y cuidado en el vestir tendrían suficiente.

En los varones la más prolija enumeración de rasgos aparece con la autodescripción de Guzmanillo ante la ventera: «Viome muchacho, boquirrubio, cariampollado, chapetón. Parecíle un Juan de buen alma y que para mí bastara quequiera»,[2] una suma de rasgos físicos y psicológicos que difícilmente volverá a encontrarse en el género.

De Rampín, guía y más tarde amante de la lozana andaluza, sólo se advierte que es de barba pelirroja, no muy abundante, por ser de poco más de diez años. La mayor parte de los rasgos que de él se proporcionan hacen referencia a su mano, que la lozana, experta en quiromancia, interpreta: «Ese barbitaheño, ¿cómo se llama? Vení, vení; este monte de Venus está muy alto; vuestro peligro está señalado en Saturno, de una prisión, en el monte de la luna, peligro por mar».[3]

Respecto a Pablos sólo podemos saber por el comentario de la posadera y su hija que era «más roto que rico, pequeño de cuerpo, feo de cara y pobre»,[4] a lo que se añadirá más tarde una cuchillada en la cara.

Mucho más pormenorizadas en el relato de sus gracias naturales resultan Feliciana y Luisa —las harpías— que sirven como excepción. Pero cuentan con 18 y 17 años respectivamente y ello significa haber dejado la infancia y estar preparándose para el matrimonio.[5]

---

2. *Guzmán,* p. 104.

3. F. Delicado, *La lozana andaluza* (ed. de A. Prieto), Barcelona, Plaza Janés, 1977, p. 51.

4. *Buscón,* p. 146.

5. «Era la mayor [...] de dieciocho años, su rostro blanco, bien proporcionado, negro el cabello, hermosos ojos, perfecta nariz, breve

La descripción que de Beatriz hace Gregorio Guadaña reúne irónicamente un modelo tópico de belleza española y unas pinceladas psicológicas de buscona solapada: «Era una perla pendiente de la oreja de su tía, ojos negros, cejas grandes, dientes de marfil, boca pequeña, gentil cuerpo, mejor donaire, y sobre todo linda voz, por entonces, pues no pedía; jugaba con armas dobles, y podía vencer en destreza a cuantas se armaron en la calle Mayor de corsarias».[6] Pero esta descripción, como la que anteriormente lleva a cabo el mesonero, la del licenciado Cabra en el *Buscón*, la de Monipodio y algunos hampones de su cofradía en *Rinconete y Cortadillo* y algunas otras, no sirven para retratar a los protagonistas, sino a personajes de esporádica incidencia en la vida de nuestros pícaros. Los escritores de las novelas picarescas no se preocuparon por hacernos llegar las características físicas y el vestuario de sus protagonistas, sino en contadas ocasiones, acaso porque lo realmente interesante sea el proceso psicológico del pícaro.

La ausencia de elementos raciales distintivos en los pícaros, casi siempre hijos de hombres de bien, es decir, de cristianos viejos o, a lo sumo, de moriscos más o menos ocultos tras unas cartas de na-

---

boca, frescos labios, iguales, menudos y blancos dientes, sus mejillas [...] vestían rosa y púrpura, entre blanca nieve; su mirar agradable, su habla sonora y la más dulce voz que había en España [...] Su hermana Luisa [...] era morena de color, de ojos rasgados muy vivos y alegres, nariz, boca, dientes y barba en más breve proporción que las facciones de su hermana, aunque no menos perfectas; algo menor de cuerpo, pero de airosa disposición y de más bullicio» (A. de Castillo y Solórzano, *Las harpías en Madrid*, en *Novela picaresca española* [estudio, selección y notas de A. Zamora Vicente], t. III, B. Noguer, 1974, pp. 17 y 18.

6. *Vida de don Gregorio Guadaña*, p. 758.

turaleza cuyo frecuente uso del santoral manifiesta claramente su manipulación, es notable.

Pero si la ascendencia morisca puede ser ocultada o modificada, los rasgos étnicos difícilmente pueden serlo, por lo que, aunque no sabemos si el hermano de Lázaro, aquel «negrito tan bonito» llegó a ser pícaro, nada impide pensar que otros de su color lo fueran.

Puesto que el comercio de esclavos procedentes, ya de África, ya de América, era habitual, no ha de extrañar que algunos de los pícaros fuesen de color. A Estebanillo no le importa entrar al servicio de uno de ellos con tal de poder aliviar su hambre, y así —dirá— «arriméme a un esclavo negro, tan limpio de conciencia que lavaba media docena de menudos con una ración de agua».[7]

El trabajo es tan duro y la remuneración tan escasa que el muchacho lo abandona después del almuerzo.

Más interesan, de todas formas, los 20 casos de niños sujetos a esclavitud —blancos, negros y lores— que presenta en «La esclavitud en Málaga» E. del Pino, donde se advierte que si bien la manumisión de los mismos era bastante improbable, podía darse:

> El ánimo del otorgante en hacer dicha compra de siempre fue el de dexar en libertad al mencionado Fco. de Paula Rafael (moro de 22 años) teniendo en consideración haverlo criado desde Parbulo.[8]

La actividad de un liberto, sobre todo si era de raza negra, estaría restringida a los servicios más

---

7. *Estebanillo,* p. 7.
8. En *Jábega,* 2.º semestre, 1976, p. 57.

viles. En muchas ocasiones los libertos no tendrían otro modo de vida que la delictiva o dedicarse a la mendicidad, como parece confirmar el cuadro de Murillo *El pobre negro.*[9] En él, dos muchachos blancos aparecen en primer plano, uno de ellos defendiendo instintivamente una torta, acaso un pastel de manzana, que sostiene en su mano izquierda, ante la petición de limosna de un muchacho negro que carga un cántaro, al parecer, vacío.

Aparte de estos ejemplos se registra la aparición de algún otro elemento de color en diversas novelas picarescas, aunque no se convierten en elementos protagónicos. Un amigo del tío de Pablos se presenta así: «Saludónos a su manera y tras él entró un mulato zurdo y bizco, tocado con un sombrero con más falda que un monte y más copa que un nogal, la espada con más gavilanes que la caza del Rey y un coleto de ante».[10]

También puede considerarse de raza negra aquel alguacil que acompaña al buldero en el tratado quinto del *Lazarillo,* personaje, como tantos, espléndidamente dotado para la improvisación escénica:

> Apenas había acabado la oración el devoto señor mío, cuando el *negro* alguacil cae de su estado y da tan gran golpe en el suelo que la iglesia toda hizo resonar.[11]

Me inclino a pensar, sin embargo, que el adjetivo *negro* no hace en este caso referencia al color de la piel del alguacil, sino al color figurado de su alma, y ello en base tanto a la disposición sintácti-

---

9. Óleo de 169 x 111, hoy en Londres, Dulwich College, pintado entre 1668 y 1670.
10. *Buscón,* p. 100.
11. *Lazarillo,* p. 123. La cursiva es mía.

ca que recuerda otras estructuras anteriores («el pecador del alguacil») como en el carácter simbólico del término aplicado en otras ocasiones.[12]

Evolución psicológica

F. Maldonado de Guevara, haciéndose eco de una tradición literaria que no languidece concluye: «el niño eterno no puede llegar a viejo»,[13] algo que, cuando menos en sentido espiritual, se confirma en el caso de los pícaros. Porque si algunos protagonistas de la novela picaresca alcanzan la vejez y en este estado deciden escribir su autobiografía, de ninguna forma puede considerarse que hayan alcanzado su plena madurez psicológica.[14]

Todos los pícaros son en buena medida niños, por lo simple de sus razonamientos, por lo inmaduro de sus relaciones sexuales, por su afán de juego, en cualquier posición social, en cualquier edad, en cualquier oficio.

Si F. Maldonado de Guevara se basa para confirmar la eterna juventud del pícaro en que las principales novelas picarescas han sido confeccionadas de tal manera que provocaron segundas partes apócrifas, habrá de añadirse a su tesis que en cada aventura, en cada engaño, en cada meditación, en cada solución a los problemas que se le presentan,

---

12. Recuérdese, por ejemplo, cuando Lázaro, refiriéndose al hidalgo, comenta: «Y por lo que toca a su *negra,* que dicen *honra,* tomaba una paja, de las que aun asaz no había en casa, y salía a la puerta escarbando los dientes» (*Lazarillo,* p. 101. Las cursivas son mías).

13. Art. cit., p. 41.

14. Así parece confirmarlo el que viejos pícaros como Hernando Trapaza sigan haciendo aquellas travesuras que él denomina «desórdenes».

el pícaro manifiesta actitudes correspondientes a la etapa infantil o juvenil. Así pues, la utilización del recurso *non comparuerunt* no basta; el desconocimiento del destino final del pícaro no es más que un tenue punto de apoyo para sustentar la eterna juventud del pícaro.[15]

Con todo, existe una evolución psicológica de los pícaros a lo largo de las narraciones que los incluyen, aunque concretar ese desarrollo no sea una de las metas de los autores del género.

Respecto a Lázaro, C. Guillén comenta que «el narrador se limita deliberadamente a tres escenas primordiales: el episodio del jarrazo, el de las uvas y el de la longaniza. Tres episodios que son como hitos o señales en el aprendizaje de Lazarillo. Desde su propio tiempo personal, Lázaro sólo incluye en su relación los momentos de iluminación con los que aún se identifica».[16]

Tres momentos de iluminación, tres momentos en que va viendo más claras las cosas de la vida, en que los misterios y los mitos infantiles dejan paso a una realidad real, son muy poco para un período tan rico en variaciones como el que discurre de los doce a los dieciocho años.

En cuanto a Pablos, aunque a lo largo de la narración se hace hincapié en algunas situaciones claves para marcar su progreso degenerativo, en gran parte de la obra apenas se retrata internamente el pícaro, perdido en una maraña de actividades cara al

---

15. No entiendo, desde luego, por eterna juventud del pícaro el estancamiento producido por alguna anomalía física o emotiva. Aunque el pícaro tiene, en efecto, algunas facultades lastimadas, perturbadas por diversas circunstancias, no es un enfermo mental, ni un atrofiado.

16. «La disposición temporal del *Lazarillo de Tormes*», *Hispanic Review,* XXV, 1957, p. 273.

público o cara a su pandilla, lo que invita a D. Mc. Crady a comentar que «casi desaparece la personalidad del protagonista entre todas estas agudezas».[17]

Los momentos en que Pablos decide ir a la escuela, abandonar su casa y sus padres o dejar a don Diego definitivamente con la frase «ya soy otro y otros mis pensamientos; más alto pico, y más autoridad me importa tener»,[18] resultan escasísimos, e insuficientes para montar una evolución psicológica completa hacia la madurez. Cuando esté a punto de emigrar hacia las Indias pronunciará las palabras claves que delatan su inmadurez: «Yo que vi que duraba mucho este negocio, y más la fortuna en perseguirme, no de escarmentado —que *no soy tan cuerdo*— [...] determiné mudarme a Indias con la Grajales».[19]

En el caso de Guzmán, el laborioso estudio que Sherman Eoff lleva a cabo sobre su evolución psicológica enumera una serie de aspectos que no son sino manifiestos de primitivismo, de infancia, cuando menos, espiritual: «One can point to youthful vitality and to certain positive aspects of his attitude: the joy of living in the inmediate present, good-humored activity in a struggle for self-preservation under adverse conditions, and the mockery of vanity and hipocrisy».[20]

---

17. «Tesis, réplica y contrarréplica en el *Lazarillo*, el *Guzmán* y el *Buscón*», *Revista de Filología*, Buenos Aires, año XIII, p. 246.

18. *Buscón*, p. 69.

19. *Ibíd.*, p. 187. La cursiva es mía. La cordura que Pablos se jacta de no haber alcanzado es aquella que Erasmo detesta porque «a medida que [los niños] crecen y empiezan a cobrar prudencia por obra de la experiencia y del estudio, descaece la perfección de la hermosura, languidece su alegría, se hiela su donaire y les disminuye el vigor» (*Elogio de la locura*, Madrid, Espasa-Calpe, 1972[5], col. Austral, p. 34).

20. «The picaresque psychology of Guzmán de Alfarache», *Hispanic Review*, XXI, 1953, p. 119.

Como todo niño, el pícaro es un ingenuo, un cándido, cuya inocencia ultrajada produce un sentimiento de conmiseración en el lector, que tiende espontáneamente a aprobar sus futuras fechorías. Esa sería la causa de la inmoralidad de la literatura picaresca según G. Marañón, que estriba «en el hecho de vestir las fechorías sociales —el robo, el engaño, la informalidad ante la palabra, el mismo crimen— de una gracia tan sutil que todo lo atenúa y que acaba por justificarlo todo. Es evidente que se puede ser bellaco con cierto primor, que invita a perdonar la bellaquería. Pero en la novela picaresca el bellaco es algo más que un sinvergüenza simpático: es siempre el protagonista inteligente, hábil, ingenioso, ante el cual los obstáculos se esfuman; en suma, el héroe».[21]

De todos modos, si existe esa inmoralidad, no tiene su punto de arranque en la ingeniosidad del enredo o en lo simpático de la burla, sino que procede de un momento anterior, del momento en el que el lector se siente dolido con el protagonista cuando a éste le ha sido brutalmente arrancada la inocencia. En ese instante, lector y pícaro se sienten ofendidos. Desde entonces las más innobles acciones del pícaro parecen quedar justificadas.

Lázaro es un ingenuo todavía, un simple, para quien toda palabra de los adultos es un dogma en el cual se ha de creer a pie juntillas, pero la sorpresiva calabazada en el toro lo arranca brutalmente de su inocencia: «parecióme que en aquel instante desperté de la simpleza en que, como niño dormido, estaba».[22]

Pero si la introducción en ese mundo es brusca

---

21. «Prefacio» a *Lazarillo de Tormes,* ed. cit., pp. 14 y 15.
22. *Lazarillo,* p. 47.

y, en términos generales, cruel, no por ello deja de ser efectiva. El niño medita y se dispone a estar siempre alerta esperando lo peor. Es el momento crucial de su vida, el salto de la niñez a la adolescencia. Entonces advierte que el mundo adulto le es hostil, y que si quiere incorporarse a él habrá de convertirse en otro, un ser humano en lucha individual y permanente contra todo y contra todos.

Si «Estebanillo se traza como norma de conducta su propio y personal provecho»,[23] otro tanto se puede decir de los demás pícaros que, salvo en raras excepciones en que van a partes iguales, se afanan en progresar por sí mismos y para sí mismos. La lucha es individual, y las posibilidades de éxito escasas o prácticamente nulas. En sus aspiraciones, el pícaro suele intentar volar demasiado lejos. Al final de su vida, si no lo ha hecho antes, como Trapaza, habrá de admitir que las uvas que intentaba alcanzar, si bien habían madurado, él no estaba capacitado para dar el salto justo que las ponga en sus manos.

Por tanto el pícaro se habrá limitado a dar pequeños pasos, a efectuar mínimos progresos fundamentados, especialmente, en su *ingenio,* cualidad compleja que le permite improvisar sobre la marcha para salir de cualquier apuro, haciéndolo además con un notable grado de malicia y de gracia.[24]

El pícaro, obligado por la ley de selección natural, se va convirtiendo poco a poco en un ingenioso buscador del sustento.

Falto de medios para poder sobrevivir en un

---

23. J. Goytisolo, «Estebanillo González, hombre de buen humor», en *El furgón de cola,* Barcelona, Seix Barral, 1976, p. 108.

24. María Moliner, en su *Diccionario de uso del español* define el ingenio como la habilidad o talento para inventar cosas o para encontrar medios de cualquier clase para resolver dificultades.

medio poco propicio, el pícaro necesita desarrollar un instrumento nuevo, un arma ofensivo-defensiva que Lázaro denomina «sutileza y buenas mañas»; Guzmán, «invención»; Pablos, «habilidades y agudeza»; Periquillo, «raro ingenio»; y que puede considerarse *rasgo de mutación.*

Pablos, Gregorio Guadaña, Justina, Teresa, el mismo Lázaro —aunque en menor escala— se entretienen en narrar las cualidades picarescas, «ingeniosas», de sus progenitores, sin duda porque se han dado cuenta de que ellos las han recibido como legado hereditario. La Naturaleza sólo permite la supervivencia de los mejor adaptados al medio, y cuando éste se modifica —como ocurre en la sociedad española de los siglos de oro— únicamente los ejemplares dispuestos genotípicamente lo van a conseguir.

Claro que, además del ingenio, cualidad innata en el pícaro, éste necesita para su supervivencia el auxilio de otras facultades como la *memoria,* que en los pícaros suele ser muy superior al término medio. El pícaro no olvida ninguno de los chascarrillos, refranes, oraciones, romances, que tiene ocasión de escuchar. Incluso se permite, como Pablos, «dar muy bien la lección» o expresar que «era mi memoria tan feliz que [...] supe leer, escribir y contar», que dirá Estebanillo.[25]

Pero esta magnífica memoria de que suelen hacer gala los pícaros es una memoria selectiva, ya que recuerdan exclusivamente lo que necesitan para dar coherencia a su relato.

No menos importante que la memoria es la *malicia* y *capacidad de raciocinio,* sobre todo para preparar los actos delictivos, cualidades ambas que,

---

25. *Estebanillo,* p. 2.

como muestra de su intelecto, van evolucionando con el tiempo. Lázaro, «el ingenioso muchacho de inocencia y afectos contagiosos, recibe su primera introducción a la malicia e, inteligente como era, aprende que debe defenderse».[26]

Si se pudiera aplicar un test de inteligencia a los niños-pícaros, posiblemente todos darían un coeficiente intelectual muy elevado, constatable en que algunos de ellos, muy pequeños todavía, han sido capaces de adquirir los conocimientos básicos.

En este sentido parece llevarse la palma Periquillo, quien, no contento con saber *leer y escribir a los seis años,* es tanto su apetito de conocimientos que «muchas veces sin almorzar se iba a la escuela» y en «los ratos ociosos no jugaba, ocupándose en leer o mirar lo que había que hacer en la casa».[27]

Claro que Periquillo es el niño-prodigio de la novela picaresca, de quien siempre se ha de esperar lo mejor, lo más edificante.

Por contra, Guzmán, que por modestia se considera «con entendimiento corto», es quizás el que mayor capacidad de razonamiento lógico presenta aunque, como advierte A. del Río, sus reflexiones van encaminadas a negar estoicamente los valores de la vida. Ni la honra, ni el amor, ni la gloria sirven para nada. Todo es vanidad y lucha.[28]

Tampoco las chicas escapan a esta situación de lucha, y por ello no pueden entretenerse, sino que habrán de aguzar y desarrollar su capacidad intelectiva, de modo que Teresa, en tres años supo

---

26. T. Hanrahan, ob. cit., p. 26.
27. *Periquillo el de las gallineras,* p. 966.
28. «Cervantes y la novela del siglo XVII», en *Historia de la literatura española,* t. I., N.Y., Holt, Rinehart and Winston, 1963², p. 322.

«todo lo que había que aprender en materia de labor, y juntamente con ello a leer y escribir con mucha perfección, porque desde pequeña fui inclinada a esto, y la inclinación lo facilita todo».[29]

Mucha prisa es ésa, aunque no puede olvidarse que de los 10 a los 13 años, período al que se refiere la protagonista, el desarrollo intelectual no sólo se caracteriza por una *intensa curiosidad,* una *sed de conocimientos* que conduce a la *acumulación de datos de todo orden,* sino por la tendencia muy marcada a integrar esos datos en conjuntos más amplios y a organizar unos en relación a otros.[30]

Pero también en esa edad se despierta en el aún niño un afán por ser mayor, por ser alguien importante, por realizar proezas dignas de un héroe, por escapar del infantilismo y de la tutela paterna que, en la picaresca, lo dispone al abandono del hogar. Con esta acción el niño-pícaro lleva a cabo un acto volitivo con el que demuestra preferir una vida de dificultades sociales a una vida de inanidad o de facilidades familiares —cuando las hay.

Pero también ocurre el caso contrario, es decir, el chico privado de su libertad, o al menos muy coartado, se ve obligado a escoger la picardía. En ambos casos la anulación de la tutela paterna supone un fortalecimiento de su voluntad. A partir de ese momento él es su propio tutor y el que ha de elegir la dirección de sus propios pasos, a sabiendas de que su inexperiencia y su falta de previsión lo lleven a la deriva: «Y con resolución comencé mi camino; pero no sabía para dónde iba ni en ello había reparado».[31]

---

29. *La niña de los embustes,* p. 334.
30. Véase P. Osterrieth, *Psicología infantil,* Madrid, Morata, 1977, p. 171. Las cursivas son mías.
31. *Guzmán,* p. 26.

De todos modos, y puesto que aún es una voluntad débil —el desarrollo físico y mental es insuficiente—, no extraña que ceda el papel de padre a alguno de los que encuentra en el camino, amos o amigos.[32]

Esta influencia exterior permitida dejará de ser efectiva cuando el pícaro se estabilice en su nuevo estado y lo domine, cuando se sienta seguro de sí mismo. Será el momento en que vuelva a aparecer aquella primera determinación volitiva incitándolo a escoger por sí mismo lo que realmente le gusta.

Algo recuerda, pese a todo, que el pícaro sigue y seguirá toda la vida siendo un niño: *la impulsividad.* Esta impulsidad lleva a Pablos a hacerse con el cofín de pasas y a sustraer las espadas a la ronda sin pararse a examinar los riesgos que su conducta le puede deparar.

Este verdadero culto ejercido por todos los pícaros a la puesta en práctica del primer impulso denota, sin lugar a dudas, su inmadurez en el proceso de evolución de su voluntad.

El juego

Varias son las teorías que intentan dar un significado propio a la actividad lúdica. Mientras Spencer opina que el niño juega para gastar un exceso de energía acumulada, Schaller propone todo lo contrario, resaltando que, con el juego, el niño descansa de sus ocupaciones más o menos impuestas.

Por su parte, Groos, en su teoría del aprendiza-

---

32. «Los malos amigos me perdieron dulcemente [...] No puse los ojos en mí, sino en los otros. Parecióme lícito lo que ellos hacían» (*Guzmán,* p. 226).

je, defiende que el niño juega para ir adiestrándose en todas aquellas actividades que ha de realizar más tarde.

La teoría del atavismo propugnada por Stanley Hall define que los juegos de los niños no son sino reminiscencias de los períodos en que el ser humano estaba todavía en evolución.[33]

Para J. Huizinga el juego es «una acción u ocupación libre, que se desarrolla dentro de unos límites temporales y espaciales determinados, según reglas absolutamente obligatorias, aunque libremente aceptadas, acción que tiene un fin en sí misma, y va acompañada de un sentimiento de tensión y alegría y de la conciencia de "ser de otro modo" que en la vida corriente».[34]

El juego, por tanto, no busca nada fuera de sí mismo, sino apenas, y ya es mucho decir, el gozo que su práctica proporciona, de ahí que todos los animales superiores se entreguen al juego en algún período de su vida.

Parece, de todas formas, que el ser más propenso al juego es el niño, y en el niño —recurriendo nuevamente a J. Huizinga— el juego posee la forma lúdica en su aspecto más puro.

Curiosamente, entre los niños-pícaros apenas encontramos alguna manifestación expresa de juegos, que, sin embargo, llevaban a la práctica los pícaros y los niños reales de los siglos de oro. R. Caro Díaz hace relación de un buen número de juegos, casi todos muy antiguos, con los que se entretenían los niños de la época, entre ellos el denominado *tropa,* para el que se necesitaban ocho bolas y una especie de gua, sobre el que comenta: «ese juego

---

33. Véase D. Morton, *Teoría del juego,* Madrid, Castilla, 1971.
34. Ob. cit., pp. 43 y 44.

se me hizo a mí muy nuevo viéndolo jugar en la puerta del Arenal, en Sevilla».[35]

En la puerta del Arenal, no hemos de olvidar, se reunían las cuadrillas de pícaros ociosos dispuestos a matar el tiempo de la mejor forma posible. Por ello extraña la tendencia de los autores del género a no incluir los juegos a los que se entregaban pícaros menores y mayores en la vida real.

Habrá de pensarse que los juegos con más partidarios eran aquellos en los que se utilizaban naipes y dados, y tanto unos como otros estaban prohibidos, lo que no fue óbice para que se practicaran, como demuestra el cuadro de Murillo *Niños jugando a los dados,* donde tres picaruelos entre 10 y 14 años se juegan unas monedas.

También habrá que tener en cuenta el afán moralizador de los escritores de picaresca como segunda causa de no aparición de juegos en tales obras, o que, como los pícaros jóvenes están sometidos en muchos casos a algún amo, es probable que su servicio les absorbiera la mayor parte del tiempo, y el restante no fuera suficiente para reparar las energías gastadas.

Por último, puede suponerse que los picarillos se entretendrían en sus recados para jugar a la taba, o a algún otro juego, con otros de su ralea, en la plaza, en la fuente o en el mercado. Los picaruelos juegan y, a pesar de que los autores del género no son muy proclives a incluir sus manifestaciones lúdicas, han proporcionado algunos datos.

«Yo estaba jugando con los otros criados» —afirma Pablos cuando hacen presencia los dos puercos que iban a morir en sus manos—. «Miren el todo trapos, como muñeca de niños» —dice más tarde

35. *Días geniales o lúdicos,* ob. cit., t. I, p. 172.

un estudiante gorrón—. «Usábalo en los juegos de argolla y bolos» —comenta más adelante Pablos.

«Contábales cuentos que yo tenía estudiados para entretener» —matizará a continuación. «Si jugaba a algún juego, era siempre pizpirigaña, por ser cosa de mostrar manos» —referirá acerca de la moza de la posada.

«Un bonito niño corriendo por lo llano en un caballo de caña, con una rehilandera de papel en la mano» —apunta Guzmán—, que en otra parte dirá: «en ese tiempo me enseñé a jugar a la taba, al palmo y al hoyuelo» y luego «aprendí jugar de dedillo, balanza y golpete».

Rinconete y Cortadillo, por su parte, nada más conocerse, se ponen a jugar a las cartas.[36]

De esta manera se pueden separar dos clases de juegos: aquellos por medio de los que se consigue algún beneficio económico —dados y cartas— y aquellos cuya única finalidad es la diversión.

Pueden incluirse, creo, en el apartado «juegos» todas las travesuras, trapacerías y burlas de los pícaros, pues cada una de estas actividades no son sino manifestaciones lúdicas en las que la mayor parte de las veces lo único que queda al pícaro es el divertimento, la sensación de placer satisfecho y los ecos de las carcajadas de sus compañeros:

> El espanto de los niños, la alegría desenfrenada, el rito sagrado y la fantasía mística se hallan inseparablemente confundidos en todo lo que lleva el nombre de máscara y disfraz.[37]

---

36. «Y luego se pusieron los dos a jugar a la veintiuna, con los ya referidos naipes, limpios de polvo y paja, mas no de grasa y malicia», (*Rinconete y Cortadillo,* p. 198).

37. J. Huizinga, ob. cit., p. 26.

Pablos se disfraza de rey de gallos, de tullido, de caballerete y, al hacerse comediante, usa sus trajes para encarnar diversos papeles y, más tarde, para rondar a la monja.[38]

Elena, la Méndez y Montúfar utilizan disfraces en diversas ocasiones y, en fin, cualquiera de los pícaros hace uso de ellos como elemento lúdico.

Elemento lúdico es también el que muchos pícaros tañen instrumentos, bailan o recitan, o la aparición, como propone J. Ricapito, del apodo, «juego basado sobre un concepto literario»[39] y elemento común a todos los personajes de nuestra picaresca.

Desde Lázaro, cuyo apellido paterno ignoramos, apagado por el brillo de su apodo fluvial, pasando por Pablos, bautizado como buscón, por Guzmán de Alfarache, cuyo verdadero apellido también desconocemos, por Cortadillo el Bueno, por Teresa del Manzanares, por la Garduña de Sevilla, hasta Tomás Rodaja, de justo sobrenombre: licenciado Vidriera.

Los niños-pícaros, como todos los niños de todas las clases sociales reales y de ficción, de todas las épocas, practicaron todo tipo de juegos, pese a que en la novela picaresca su nómina sea muy reducida.

F. Rodríguez Marín ha recogido un gran número de juegos practicados en los siglos de oro, algunos extraídos de la misma novela picaresca.[40] A mu-

---

38. Ya vimos cómo Guzmán es manteado por unos desconocidos disfrazados de diablos.

39. «Prólogo» a *Lazarillo de Tormes,* Madrid, Cátedra, 1976, p. 15.

40. «Con la misma denominación y no con la que tiene en el *Memorial* [...] lo cita Quevedo en la *Historia de la vida del buscón llamado don Pablos:* «"Si se jugaba a algún juego —dice— era siempre al de pizpirigaña, por ser cosa de mostrar manos"» («Varios juegos infantiles del siglo XVI», *Boletín de la Real Academia Española,* t. XVII, p. 500).

chos de esos juegos siguen dedicándose los pícaros después de haber alcanzado la edad adulta. El pícaro es, sin duda, un niño eterno.

Sexo, amor y matrimonio

No son los pícaros, aunque cabría esperarse lo contrario, manifiestamente precoces en el aspecto sexual, presentándose la novela picaresca en este sentido mucho menos atrevida que otros géneros, especialmente cierta poesía vertida en pliegos sueltos o algunas novelas ante las que las actividades de la lozana en Roma son juegos inocentes. Claro que la poesía erótica, en especial la destinada a los pliegos sueltos,[41] podía salvarse con mayor facilidad del acoso inquisitorial, y las novelas de tono subido eran clandestinas y restringidas, por tanto, a un público minoritario, mientras la picaresca pretende alcanzar a la mayor cantidad posible de lectores.

De todas formas, en los pícaros existe siempre un grado de infantilismo —como hemos visto— que difícilmente encaja con la amoralidad desenfrenada de Lozana y de Rampín, dos personajes que con la mayor naturalidad se plantean un reto sexual apenas conocerse.[42]

Si Rampín pudiera considerarse un pícaro tendríamos en él la excepción en cuanto a precocidad

---

41. Sobre este tema véase la antología crítica de P. Alzieu, R. Jammes e Y. Lissorgues, *Poesía erótica del Siglo de Oro,* Barcelona, Crítica, 1984.

42. «LOZANA —Quiero que vos seáis mi hijo, y dormiréis conmigo; y mira no me lo hagáis, que ese bozo dencima demuestra que ya sois capón. // RAMPÍN —Si vos me probásedes, no sería capón» (*La lozana andaluza,* p. 54).

sexual por parte de los varones de su clase, pues tiene poco más de diez años[43] cuando sabe dar cumplida respuesta erótica a su ama. Bien lejos de pensar en tales actividades, nuestros pícaros jóvenes se manifiestan tímidos, inexpertos y aun decididamente castos. Las palabras de Guzmán después de haber visto desnuda a su ama atestiguan una candidez incuestionable en todos los sentidos:

> Quedó mi ama del caso corrida y yo más; que, aunque varón, era muchacho y en tales cosas no me había desenvuelto. Tenía tanto empacho como si fuera doncella, y aun cuando fuera muy hombre, me avergonzara de su vergüenza. Pesóme muy de veras haberlas visto; no quisiera tal acaecimiento por la vida; mas nunca la pude persuadir de creer malicia en mí ni bastaron juramentos para ponerla en razón ni encaminarla a mi inocencia.[44]

Si excepción podría considerarse la capacidad sexual de Rampín —cuya edad no está suficientemente clara—, por excepcional ha de tenerse la actitud mantenida por Periquillo, mucho más extremado que Guzmán en su temperancia. Cumplidos los dieciséis años el muchacho presenta señales inequívocas de madurez en todos los sentidos, lo que mueve el corazón, primero de la criada, y luego de la ama en cuya casa ha sido recogido. Pero ni una ni otra consiguen, a pesar de habérsele ofrecido, su satisfacción. Como otro José ante la mujer de Putifar, Periquillo prefiere sufrir el injusto castigo que

---

43. «LOZANA —Señora, este vuestro hijo más es venturoso que no pensáis; ¿qué edad tiene? // NAPOLITANA —De diez años le sacamos los bracicos y tomó fuerza en los lomos» (*La lozana andaluza,* p. 51).

44. *Guzmán,* p. 230.

provocan las engañosas apariencias, a entregar su cuerpo. En la respuesta a su ama se puede observar que, como Rampín, tampoco Periquillo es un auténtico pícaro, pues se ha situado en el extremo opuesto de la banda, el ocupado por los ascetas:

> Porque sabrás, piadosa Catalina y dueño mío, que tengo ofrecido a Dios y hecho voto de castidad; y así no permitas que sea traidor e ingrato a un Padre que me dio el alma y el entendimiento, memoria y voluntad; sólo te ofrezco en pago de tantas honras el perpetuo silencio de mis labios y la humildad de mis ojos.[45]

Nada especial presenta tampoco la historia amorosa de Pablos, que se limita a episodios fundamentales: su frustrado intento de utilizar «para el deleite» a la moza de la posada; su asalto, también fracasado, a la parienta de don Diego Coronel; su declaración a la comedianta; su doñeo en el convento de S. Juan Evangelista y su unión definitiva con la Grajales. En ningún momento se entra en detalles y sólo parece conseguir, como muestra de favor algún tocamiento fugaz con la monja,[46] nada, en suma, atrevido, a pesar de que Pablos es ya un adulto y su creador se desenvuelve con soltura en estas cuestiones.

En todo caso habrá que pensar que también en sus relaciones sexuales y amorosas en general, el pícaro está abocado al fracaso. Por su categoría de antihéroe queda condenado a ser excluido de cualquier situación placentera, como no sea la de ven-

---

45. *Periquillo el de las gallineas,* p. 973.

46. «Los favores son todos toques, que nunca llegan a cabes: un paloteadico con los dedos. Hincan las cabezas en las rejas, y apúntanse los requiebros por las troneras» (*Buscón,* p. 181).

ganza que, por otra parte, suele traerle consecuencias negativas. Cuando el pícaro consigue una vida amorosa estable, su felicidad no es sino un espejismo: toda la ciudad de Toledo sabe que la mujer de Lázaro está amancebada con el arcipreste de San Salvador.

En cuanto a las pícaras, la situación es semejante, pese a que, como en todo, suelen iniciarse en lo sexual más tempranamente. Así y todo, los detalles son mínimos y las referencias a lo amoroso suelen quedarse en algún flirteo, cartas y algún galanteo a la luz de la luna. Los elementos más escabrosos concurren en la relación hecha por Elena, la hija de Pierres y Celestina, durante su viaje a Madrid. Sin que Montúfar —su compañero— se lo pida, pone en conocimiento de éste que entre los doce y trece años fue vendida tres veces como virgen; la primera a un rico eclesiástico, la segunda a un señor con título y la tercera a un genovés,[47] pero en ningún caso se hace ningún comentario al respecto.

Por su parte, Justina despide sus aventuras pacatamente cuando se halla en la noche de bodas, prometiendo detalles diversos que no cumplirá, y Teresa, que huye de su casa con un galán, no sufre ningún menoscabo para su honra. Sólo más tarde, con edad a propósito y por propia decisión, resultará embarazada.

La actividad sexual de los pícaros —ellos y ellas— tardíamente iniciada, no les supone ninguna atadura afectiva ni moral. Sólo el ejemplo de Estefanía, madre de la Garduña, se salva como excepción de esta regla. En compensación, Hernando se desposa con ella cuando la hija de ambos ha

47. A.J. Salas Barbadillo, *La hija de Celestina,* ob. cit., p. 1.125.

cumplido ya los cinco años y Estefanía es viuda de un rico genovés.

Si las uniones prolongadas escasean, y los matrimonios son raros, no es de extrañar que muy pocos pícaros lleguen a alcanzar la paternidad, cosa, por cierto, que dejaría en magnífica situación a cualquiera de ellos para abandonar la picardía, pero sólo ocurre en el caso de Hernando, lo que muy bien pudiera haberse evitado su autor de no querer demostrar que de aquel palo solamente podría salir una astilla como la Garduña de Sevilla.

En términos generales se podría admitir que el amor de y entre pícaros es amor a primera vista, que apenas alcanza la categoría de amor platónico, y muy pocas veces logra la consecución del objeto sexual, que no incide en la vida íntima de sus protagonistas de manera permanente, y que no produce ningún efecto ni en el cambio de vida ni en la procreación de los hijos.

Es un amor ligero, superficial, que no llega a arraigar, cuya pérdida no suele suponer un trauma insuperable a corto plazo. No es, por supuesto, un amor digno de ser cantado, pero tampoco un amor indigno cuyo relato atraiga el interés de lectores partidarios del erotismo. Picarillos y pícaros son, también en cuestiones sexuales, seres imperfectos y aun fracasados.

EL NIÑO, SUJETO LITERARIO

La originalidad del anónimo autor del *Lazarillo* consiste para F. Lázaro Carreter en que «plantea la proeza, por vez primera quizás en el relato europeo, de describir una vida desde su nacimiento hasta la madurez».[1]

Hasta ese momento, en efecto, el tratamiento literario de los niños no había pasado más allá del papel de comparsa, a lo sumo, de acompañante, y en el mejor de los casos, la infancia había sido una etapa sobrenaturalmente deformada cuando el sujeto estaba predestinado a ser un santo o un héroe. El autor del Lazarillo «logra [...] conferir a los años de la niñez una importancia nunca alcanzada en un relato que tratara también de la madurez del héroe».[2]

A estos iluminadores pasajes se ha de añadir que Lázaro es niño durante la mayor parte de la

1. *«Lazarillo de Tormes» en la picaresca,* ed. cit., p. 82.
2. *Ibíd.,* íd.

novela y, sólo al final de la narración, aparece y empieza a comportarse como un adulto.[3]

Los momentos más atractivos, las aventuras más llenas de gracia y espontaneidad, las que producen en el lector mayor número de sentimientos identificadores con los personajes centrales, son sin género de dudas aquellos en que la inocencia del picaruelo aún permanece virgen o está en proceso de aprendizaje.

El éxito del *Lazarillo, Buscón* y *Guzmán* no está basado en sus discursos morales o en sus pretensiones literarias, sino precisamente en la simpatía, en el poder de atracción de esos niños vapuleados por la fortuna y por la sociedad, pero siempre dispuestos a luchar con las armas del ingenio y de su peculiar osadía y gracejo.

Antecedentes

Hasta la aparición del *Lazarillo* en 1554 no se puede hablar en justicia de niños protagonistas en literatura. Cierto que la Biblia presenta diversas actuaciones llevadas a cabo por menores (Samuel, David, Jeremías, Daniel, Jesús) o que tienen a los menores como objeto (Moisés, juicio de Salomón, matanza de los inocentes), pero en ningún caso son auténticos protagonistas literarios.

---

3. El mismo F. Lázaro Carreter advierte que el esfuerzo del autor del *Lazarillo* se debilita «en la transición de la infancia a la mocedad, en el paso paulatino de una psicología de niño a un carácter de adolescente y de hombre» (ob. cit., p. 82). En el mismo lugar, a pie de página, recoge unas palabras de M.R. Lida que anoto a continuación: «Y aun la resolución de la infancia dista de ser perfecta: todavía en el tercer tratado la reacción de Lázaro ante el entierro está en claro desacuerdo con lo que deberíamos esperar de su experiencia».

Tampoco lo será el lazarillo que en *Edipo Rey* acompaña a Tiresias. Este muchacho permanece en la sombra desde que aparece en escena hasta que el ciego, acosado por las preguntas y las amenazas de Edipo, decide irse.[4]

En el *Poema de Mío Cid* la actuación de la niña de nueve años es más relevante que la del niño anterior, pues en ella se descarga toda la responsabilidad de su familia y de la ciudad de Burgos, confiando en su debilidad y pequeñez para hacer desistir al héroe y a sus huestes.[5] El papel de esta niña sí es de primera magnitud; de ella depende que sus padres, amigos y vecinos mantengan los bienes y la vida, puesto que la orden emanada del rey ha sido contundente

> que a mio Cid Ruy Díaz que nadi nol diessen posada, e aquel que gela diesse sopiesse vera palabra, que perderie los averes e más los oios de la cara, e aun demás los cuerpos e las almas.[6]

De la misión encomendada sale airosa, tanto por su propia maestría en el tratamiento del mensaje

---

4. «(Al muchacho que le sirve de guía) Llévame a casa, hijo, que desahogue éste su cólera contra gente más joven y que aprenda a alimentar su lengua con más calma y a pensar mejor de lo que ahora piensa» (Sófocles, *Áyax, Antígona, Edipo Rey* [ed. de C. Miralles], Madrid, Salvat-Alianza, 1969, p. 113).

5. «El valiente Campeador se doblega ante la tierna niña; ésta como ducho estratega, dicta al soldado el plan de conducta [...] La niña de nuef años castellana es tan elogiable como la de trece de Plinio, por su ternura infantil, su añosa prudencia, su gravedad de matrona; tan excepcional como la de Estacio por su temple maduro a tan tierna edad» (M. Garci-Gómez, *«Mio Cid», Estudios de Endocrítica,* Barcelona, Planeta, 1975, pp. 78 y 79).

6. *Poema de Mio Cid* (ed. de P.M. Cátedra), Barcelona, Planeta, 1985, p. 9.

como por la misma actitud noble y comprensiva del guerrero.[7]

El caso de esta niña es uno de los poquísimos ejemplos de personajes de su sexo y edad en obras literarias medievales. Sólo Tarsiana adquirirá importancia relevante en el *Libro de Apolonio,* aunque la mayor parte de los detalles que nos proporciona al respecto la obra ocurren cuando puede considerarse una mujer. En su etapa infantil es un ser pasivo, que no tiene capacidad de movimiento, supeditada como está a la tutela de Estrángilo y Dionisia.[8]

Alcanzados los 15 años Tarsiana no puede considerarse una niña, sino una mujer de gran hermosura y enorme inteligencia, que ha de luchar contra las circunstancias para conservar su honra.

Las escasas estrofas dedicadas a la infancia de Alejandro en la obra anónima que narra su vida y aventuras lo presentan como un niño mítico destinado a obrar prodigios, un niño que ocupa ese período primero de su vida en el estudio y en el ejercicio de la lucha con armas, un auténtico caballero medieval como no se iba a dar hasta el infante don Juan Manuel, pero que por esa misma razón se aleja de nuestros pícaros.

También tienen poco en común los niños que discurren por las obras de Berceo, aunque las hagiográficas proporcionen detalles de la infancia de

7. «Una niña de nuef años dio al Cid una lección poderosa, cuya sabiduría práctica aprendió éste muy bien y supo llevar a feliz éxito en el trato de las arcas» (M. Garci-Gómez, *«Mio Cid», Estudios de endocrítica,* ed. cit., p. 84).

8. «Criaron a gran vicio los amos la moçuela. / Cuando fue de siet años, diéronla al escuela; / apriso bien gramática e bien tocar vihuela, / aguzó como fierro, que aguzan a la muela» (Ed. de M. Alvar, Barcelona, Planeta, 1984, estr. 350).

san Millán, sto. Domingo, s. Lorenzo y santa Oria dignos de mayor estudio. Especialmente curiosa se me antoja la falta de vanidad femenina en sta. Oria, más preocupada de ganarse el cielo que por lucir los hermosos vestidos de que disfrutaba Tarsiana,[9] pero en esto se parece bien poco a nuestras pícaras.

En los *Milagros de Nuestra Señora* el niño judío actúa con la inocencia característica de los primeros años, una nota que también se dará en Lázaro-niño y en otros pícaros. No hay, desde luego, entre el niño judío y nuestros pícaros concomitancias. Solamente puede considerarse que es un niño literario ejerciendo un papel didáctico-moralizante muy concreto, pero niño literario, al fin, de fuerte personalidad.

Más interesantes que el *Libro de Alexandre* y las composiciones de Berceo parecen diversas obras del género árabe *maqāmat,* historias breves en prosa rimada que relatan la vida y obras de algún vagabundo dedicado a dar pláticas moralizantes a todo el que encuentra a su paso, lo que no impide que él sea un verdadero bribón. Como afirma J. Vernet, en algunas de ellas el personaje central «es el pícaro Abu-l-Fath al Iskandarī, personaje creado, posiblemente, a partir de un ser real: el bohemio Abū Dulaf, protegido de Ibn 'Abbad [...] En gene-

9. Véase la diferencia entre una y otra en los textos. Tarsiana, desde niña, aparece bien ataviada: «Estrángilo de Tarso e su mujer Dionisa / criaron esta niña de muy alta guisa; / dieronle muchos mantos, peña vera e grisa, / mucha buena garnacha, mucha buena camisa». (*Libro de Apolonio,* ed. cit., estr. 349).

Por su parte, santa Oria se viste voluntariamente con pobreza: «Desque mudó los dientes, luego a pocos años / Pagábase muy poco de los seglares paños: / Vistió otros vestidos de los monges calaños. / Podrian valer pocos dinero los sus peaños (G. de Berceo, *Vida de sancta Oria,* Madrid, Espasa-Calpe, 1966[4], Col. Austral, estr. 20).

ral, el tema trata de una de las hazañas de Abu-l-Fath al Iskandarî, quien siempre sale a flote gracias al ingenio».[10]

J. Vernet advierte que algunas de las secuencias aparecen más tarde en la novela picaresca; en concreto en la *Vida de Marcos de Obregón* y en las *Aventuras de Gil Blas de Santillana.*

Por su temática llama sobremanera la atención de la *maqāma* de al-Hamaddāni titulada *El mendigo y su hijo,* en uno de cuyos pasajes más relevantes se localiza «un homme recouvert de deux manteaux loqueteux [qui] se presénta à nous, la besance pendante. Il traînait derrière soi un enfant nu tiraillé par la misère, pris et repris par le froid, n'ayant que la peau comme vêtement, mais rien pour se protéger des frissons».[11]

Se encuentra en al-Hamaddāni, pues, aparentemente, un antecedente, en el siglo X, de Lázaro, donde si bien la dualidad *puer-senex* es notoria, el viejo no ha perdido la vista como ocurrirá en el caso del amo primero de Lázaro.

De todas maneras, el viejo utiliza al muchacho para mover los corazones de las gentes: «Seul considérera cet enfant celui que Dieu a favorisé; seul compartira à cette dètresse celui qui n'est pas à l'abri d'une semblable misère [...] Empressez-vous de faire le bien tant qu'il est posible! Accomplissez de bonnes actions tant que le destin vous est favorable!».[12]

---

10. J. Vernet, *Literatura árabe,* Barcelona, Nueva Col. Labor, 1972, p. 93.

11. Hamaddāni, *Choix de maqāmāt* (trad. de Régis Blachère y Pierre Masnou), París, Klincisieck, 1957, p. 81.

12. *Ibíd.,* íd. También Pablos utiliza niños para pedir y aun llega a secuestrarlos para obtener luego un beneficio haciendo creer a sus padres que los encontró perdidos.

Es toda una exposición del «arte de mendigar», cosa que conocen a la perfección los pobres y pícaros, reales y literarios del siglo de oro. Lázaro, en efecto, mostraba sus propias heridas para implorar la ayuda del prójimo, Pablos las simulaba con suma destreza, y Guzmán se convierte en un retórico de la mendicidad, que sabe acercarse a los duchos en la materia para perfeccionarse.

Pero otro dato más de la *maqāma* salta a la vista: el muchacho, desnudo, aterido y hambriento es, como todos los pícaros, huérfano, aunque sólo de madre.[13]

El niño, como un lazarillo cualquiera, aprende rápidamente el oficio y los medios a utilizar: el gesto y la palabra: «Que pourrais-je dire, alors que ce discours que tu as prononcé, s'il avait trouvé un poil il l'eût rasé (ou heurté), un rocher il l'eût fracasé [...] Pensez à moi, je pensarai à vous! Faites-moi des dons, je vous en saurai grâce!».[14]

Por fin, el niño, como tantos de nuestros pícaros, se convierte en poeta para dar las gracias tras recibir un anillo como regalo.[15]

Al-Harīrī, continuador en el arte de la *maqāma*, corriente literaria muy difundida por el mundo árabe durante los siglos IX y X, presenta una serie de historietas en las que el actor fundamental es el mendigo Abū Zayd, al que introduce así: «apareció un cojo que vestía el ropaje de la miseria. Se acerca a nosotros, nos hace con la más rara elocuencia

---

13. «Nous regardons avec l'oeil de l'orphelin et nous tendons la main de l'indigent.» (Hamaddāni, ob. cit., p. 820.

14. *Ibíd.*, íd.

15. De soi-meme ceint d'une beauté pareille au Baudrier d' Orion, (cet anneau) est semblable à celui qui, rendu fou d'amour, joint l'Aimée et l'étreint dans l'emoi et la tristesse (*Choix de maqāmāt*, ob. cit., p. 82).

el relato de las desgracias que le aquejan y termina por implorar nuestra caridad».[16]

No sé si puede afirmarse que este personaje sea un antecedente del *Buscón,* pero el paralelismo en las formas de actuar de ambos es tan manifiesto que, cuando menos, recuerda las pocas diferencias existentes entre los pobres de todos los lugares y de todas las épocas a la hora de pedir limosna. Comparada la despedida de Abū Zayd y un párrafo del *Buscón* la similitud resulta evidente:

> Se marchó sin poder reprimir su alegría y entonces me di cuenta de que se trataba de Abū Zayd, que *cojeaba para engañar mejor.*[17]

> y así, por no hacer más gasto no teniendo dinero, determiné de salirme *con dos muletas* de la casa.[18]

La única dificultad para aceptar la influencia de las *maqāmāt* sobre nuestra picaresca estriba en las posibilidades de lectura que de tal tipo de obras tuvieron los escritores de los siglos de oro, bien escasas, aunque pudieron haberlas recibido de forma oral por medio de cuentos asumidos por la tradición.[19]

En cuanto a la novela de caballerías, ésta suele

---

16. J. Vernet, ob. cit., p. 126.
17. *Ibíd.,* p. 127. La cursiva es mía.
18. *Buscón,* p. 170. La cursiva es mía.
19. En esta línea se movía Foulché-Delbosc, cuando manifestaba: «Sans doute, une petite farce intitulée "Du garçon et de l'aveugle" fut jouée a Tournai vers la fin du XIIIe siècle: c'est, de beaucoup, la plus ancienne farce connu, mais il n'y a pas le moindre rapprochement à établir entre cette piece et le Lazarille aucun épisode de l'une ne se retrouvant dans l'autre» («Remarques sur Lazarillo de Tormes», *Revue Hispanique,* VII, 1900, p. 87).

presentar al héroe desde su nacimiento, pero el paso por la etapa infantil es rápido y a menudo motivado por cuestiones proféticas ya que «al narrador le interesa llegar deprisa al momento en que asuma su función de caballero. Los informes que, de esa época de su vida, nos proporciona, son sumamente magros».[20]

No ocurrirá esto en el caso de los pícaros, si no es el de Marcos de Obregón, pues el narrador parece deleitarse en detallar al máximo esa etapa primera de la vida humana.

Por otra parte, las escasas acciones del niño-futuro-caballero andante son dignas de un héroe —como le pasa a Alexandre niño—, mientras que las del niño-futuro-pícaro son ingenuas y, más tarde, delictivas.

De esta forma nos encontramos con un niño falseado en la novela de caballerías, pero un niño muy próximo a la realidad en la novela picaresca.

Esquema sintético del niño-pícaro

El análisis comparativo, secuencia a secuencia, de las novelas picarescas permitiría obtener una serie de rasgos que se repiten en todas ellas.

Si se exceptúa la obra de Vicente Espinel, que omite los datos de la vida infantil de Marcos —aunque no se sustrae a afirmar que es de ascendencia montañesa y que ha nacido en Andalucía—, se podría esquematizar el desenvolvimiento de los pícaros en una serie de etapas cuyo encadenamiento queda marcado por unos hitos significativos.

---

20. F. Lázaro Carreter, *«Lazarillo de Tormes» en la picaresca,* ob. cit., p. 81.

El modo de empezar cada novela, acaso heredado de la de caballerías, suele ser relatando el nacimiento del pícaro. En contadas ocasiones se habla de la vida familiar antes de su venida al mundo, siendo en este aspecto *Teresa del Manzanares* y, sobre todo *Gregorio Guadaña* las que proporcionan mayor número de datos. A continuación el niño-futuro-pícaro permanece, más o menos hasta los 12 o 13 años, desarrollándose en un medio familiar, ya el propio, ya en pupilaje con algún tutor.

El abandono del hogar propio o tutorial supone el comienzo de las desdichas, un abandono que puede realizarse de dos maneras completamente distintas. En el primero de los tipos —Lázaro, Hernando, Gregorio, Pablos...— su partida es propiciada por los propios parientes, que son los más decididos en alejarlos de sí, sea por evitarse un sitio en la mesa, sea por enviarlos a estudiar. En el segundo de los casos es el mismo niño el que decide su futuro lanzándose a los caminos en busca de mejorar su suerte. Es el más abundante: Guzmán, Rinconete, Cortadillo, Carriazo, Estebanillo, Alonso... a los que puede añadirse el caso especial de Periquillo, que ha de abandonar la casa en que es tratado como un hijo para evitar un descalabro familiar entre sus amos.

Cuando el desarraigo es permitido, sus padres —o en su defecto, los tutores— suelen proveer al muchacho de los medios económicos imprescindibles para vivir con soltura —Hernando, Gregorio— o ponerlo a las órdenes de un amo a quien debe servir y de quien debe percibir, como pago, su sustento —Lázaro, Pablos. Como variantes de este tipo cabe admitir el caso de Avendaño, que parte de su casa en compañía de un amigo en vez de un amo.

Si el desarraigo es ignorado por sus superiores, el chiquillo se ha equipado antes con alguna buena prenda, o ha tomado por su cuenta pequeñas cantidades de dinero.[21] Una variante de este grupo sería Catalina, madre de Teresa del Manzanares, que se evade con cuatrocientos reales de plata, pero en ésta la malicia es mayor de lo ordinario y ya ha superado el período de la niñez, como demuestra el hecho de ser acompañada por su amante.

El *shock* es el momento crucial en la vida de todo pícaro; supone no sólo un despertar a la vida adulta, con un paulatino abandono de la fantasía infantil sino, algo mucho más importante: el surgimiento de la malicia, la amargura y la aparición del rencor contra un individuo o contra un grupo social.

El *shock* es un golpe brutal, a menudo físico, pero sobre todo psicológico, en un niño que apenas acaba de percatarse de que su madre no es todo el mundo, sino una parte muy pequeña de él. Para Casalduero, «en la picaresca se nos presenta siempre al hombre en su choque con la vida, adquiriendo una experiencia a costa de su dolor. Indefenso, en su salida al mundo, en su nacer, la vida le enseña lo que es vivir: ir de dolor en dolor; la vida le despierta y le abre los ojos».[22]

El golpe en la cabeza del toro produce tanto o más dolor espiritual que corporal; la revelación de la madre de Pablos al no desmentir que es puta y hechicera hace pronunciar al chico sus primeras frases amargas: «Yo, con esto, quedé como muerto,

---

21. Estebanillo, que no tiene ocasión de abastecerse, lleva consigo el hierro con el cual levantó el bigote a aquel valiente que se puso en sus manos, hierro que, en casa de David el judío, le proporcionará sus primeras ganancias *non sanctas*.

22. J. Casalduero, ob. cit., pp. 103 y 104.

determinado de coger lo que pudiese en breves días y salirme de casa de mi padre: tanto pudo conmigo la vergüenza».[23]

Pero no va a ser éste el único *shock* sufrido por Pablos, puesto que, antes de perder toda su ingenuidad ha de pasar por el baño de salivazos y la denigrante escena en que uno de sus compañeros hace sus necesidades en la cama donde duerme el pícaro.

Tras el *shock* el niño-pícaro suele iniciar un aprendizaje que lo llevará a la marginación social, a la vida hampona, en la cual se integra durante un tiempo convirtiéndose en uno de sus elementos más destacados.

No opina así R.O. Jones, para quien no podemos determinar cuándo ocurrió el cambio transformador del niño en pícaro, acaecido «en ningún sitio y en todos los sitios; no fue en algún lugar o en alguna crisis, sino resultado de una influencia insidiosa que le rodeó desde los primeros días».[24]

Por supuesto, el niño inocente que suele presentarnos en primera instancia la novela picaresca no se hace pícaro de una forma instantánea tras el *shock,* pues necesita mayor sedimento de penalidades, frustraciones y consejos de otros pícaros, pero lo que no se puede poner en tela de juicio es que *este* shock *influye en el héroe de tal forma que se constituye por sí mismo en causa eficiente de su cambio de actitud ante la vida.*

Hay que admitir, además, que cada sacudida interna producida por esos elementos perturbadores de su psiquismo deja una profunda huella en nues-

---

23. *El Buscón,* p. 26.

24. R.O. Jones, *Historia de la literatura española,* t. 2, Barcelona, Ariel, 1978, p. 118.

tros pícaros, una huella que nada ni nadie podrá borrar.

Tras una vida pícara más o menos dilatada según los casos, a veces asociándose durante cortos períodos de tiempo con otros de su ralea, las más vagabundeando en solitario o al servicio de un amo eventual, el niño-pícaro, transformado en adulto, lleva una existencia que se puede resumir en: bandidaje y mendicidad, prostitución y/o matrimonio, huida del mundo, reinserción en la sociedad, galeras, emigración a Indias, destino ignorado, y muerte, tal como muestra el cuadro 1.

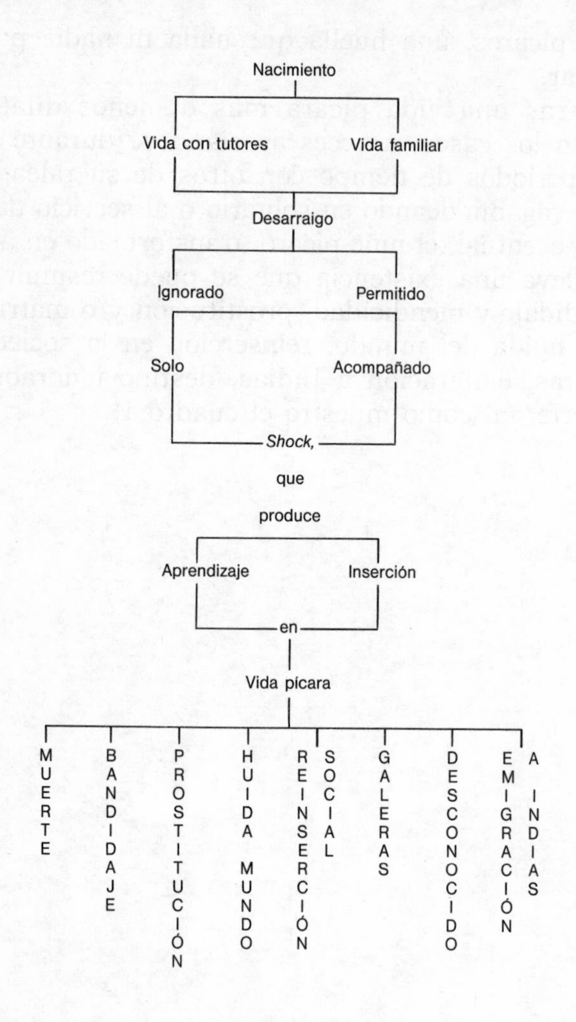

Nacimiento
Vida con tutores
Vida familiar
Desarraigo
Ignorado
Permitido
Solo
Acompañado
Shock,
que
produce
Aprendizaje
Inserción
en
Vida pícara
MUERTE
BANDIDAJE
PROSTITUCIÓN
HUIDA MUNDO
REINSERCIÓN SOCIAL
GALERAS
DESCONOCIDO
EMIGRACIÓN A INDIAS

CUADRO 1

APUNTES FINALES

Hasta la aparición del *Lazarillo* las escasas muestras de niños literarios que es posible localizar lo reducían a interpretar papeles muy secundarios, ya como servidores de los adultos, ya como seres que necesitan dar muestras, también en esa etapa, de su superioridad.

Entre estos últimos destaca un personaje, Jesús-niño, difícilmente postergable a tenor de sus características. El comportamiento de Jesús-niño refleja más a un niño prodigio, ejemplar, onmisciente —diferente, en suma— que un niño normal de su época, de cualquier época.

Si Jesús-niño lleva a cabo una aventura semejante al desgarrarse de los pícaros cuando decide quedarse en el templo, su acción no lo conduce al abandono del hogar y de la tutela paterna, ni es causa de un *shock*, por lo que difícilmente puede compararse con nuestros pícaros. La voz de Jesús-niño, que deja de oírse en seguida, sólo tiene parangón con la de Periquillo, su fiel imitador, pero ni uno ni otro son pícaros.

Hasta el primer Siglo de Oro no se lleva a cabo un estudio literario meditado del niño y de su circunstancia social y familiar. Todo está cambiando, y teólogos, legisladores, padres y escritos en general advierten al fin en las primeras etapas del desarrollo el momento fundamental de la historia del ser humano.[1]

El descubrimiento del niño como elemento de primer orden en la literatura tuvo resonancia, no sólo en las letras, sino también en la pintura, a nivel nacional y europeo,[2] aunque realmente la novela picaresca no propone una defensa a ultranza del niño, y, mucho menos, del niño-pícaro, personaje cuya única virtud es no caer en el desánimo definitivo.

Si en la mayor parte de los casos no es admirable la virtud de los picarillos, no es menos cierto que ellos escogen el único modo de actuar que la estructura social les permite, e incluso puede pensarse que muchas de sus actitudes poco ejemplares las han adquirido por contagio, o mediante un esfuerzo personal verdaderamente meritorio.

La imagen que la literatura picaresca propone del niño-pícaro nos plantea a un ser humano poco admirable por sus virtudes individuales, pero lo cierto es que no ha dispuesto de oportunidades para desarrollarse con dignidad en el aspecto físico, men-

---

1. Parece claro este interés por el mundo infantil en los libros para educación de príncipes que proliferan en esta época, pero que tenían antecedentes tan dignos en nuestras letras como los *Castigos e documentos para bien vivir que don Sancho IV de Castilla dio a su hijo,* y el *Libro Infinido* de D. Juan Manuel entre otros. En el Renacimiento se seguirán, sobre todo, las ideas expuestas en la *Institutio principi christiani* y los *Coloquios* de Erasmo.

2. De la escultura, plenamente dominada por los temas religiosos, no se conserva nada, en lo que influiría también la carestía de los materiales y su fragilidad.

tal, moral y social. Su falta de libertad en todos los aspectos se ve agravada por el pernicioso influjo que sobre él ejercen, en todos los aspectos de la vida, padres, tutores y convecinos. El niño suele reflejar, como un espejo, las virtudes y los vicios de quienes con él conviven; su capacidad de imitación es tal que siempre hará lo posible por parecerse y aun superar a sus ídolos, a aquellos que supone más capacitados para la supervivencia. Los que tiene a su alrededor, sin embargo, no son los más apropiados para ser emulados, de ahí que el progreso del niño-pícaro suele ser un retroceso moral. ¿Cómo se puede pedir al pequeño Lázaro, por ejemplo, sinceridad cuando está observando que el ciego «abreviaba el rezar y la mitad de la oración no acababa, porque tenía mandado que en yéndose el que la mandaba rezar le tirase por cabo del capuz»?[3] Puesto que el discípulo intenta superar al maestro, Lázaro procurará engañar a quien le engaña, hasta saber un punto más que el diablo, cota esta la más elevada posible y, por ende, la más profunda en el proceso de degradación.

Su proceso de degradación moral es paralelo al de degradación física, en primer lugar porque el hambre se ceba en cada pícaro con verdadero ensañamiento. El paso de Lázaro de un amo a otro supone el acrecentamiento de un hambre que lo va haciendo más y más irracional, hasta llegar a hacer de él poco menos que un ofidio. También Pablos[4]

---

3. *Lazarillo,* p. 50.

4. El hambre que Pablos pasa en el pupilaje del dómine Cabra es poco menos que proverbial. Con la fina ironía que caracteriza a Quevedo, la escena del almuerzo se plantea en estos términos: «Acabaron de comer y quedaron unos mendrugos en la mesa y, en el plato, dos pellejos y unos huesos, y dijo el pupilero: Quede esto para los criados» (*Buscón,* p. 34).

y otros pícaros sufren esta situación que los convierte en seres desvalidos, predispuestos a la debilidad y, en especial, a la infección parasitaria.

No menos importante, en este sentido, es la falta de un sitio en el que pasar la noche —que obliga a los pícaros a acogerse en lugares poco recomendables— así como la escasez de ropa, que los invita a usar mil trucos para conseguir disimularla —ya que no paliarla— y que es causa de humillación continua.[5] Cuando el pícaro consigue mejorar su vestido lo hace comprando ropa usada, ropa robada, o hurtándola él mismo, aunque ésta, de mejor calidad, no suele durar mucho en su poder.

Curiosamente, ni la falta de alimento, ni la de techo bajo el que cobijarse, ni la de vestuario, hacen contraer enfermedades a los pícaros, quienes sólo necesitarán cuidados especiales cuando reciben alguna seria paliza, de modo que su salud no sufre grandes menoscabos.

Con todo, las necesidades materiales no cubiertas resultan de menor importancia ante la perentoria necesidad de cariño y comprensión padecida por todos los niños-pícaros, que crecen en un ambiente de inseguridad afectiva tan considerable que supondrá su exilio.

También es notable el ambiente de inseguridad moral en que se desarrollan los primeros años del pícaro, y que llega a ser de auténtica inmoralidad. Incluso Periquillo, que va a gozar de una situación moral familiar envidiable, ha de iniciar su carrera

---

5. También Pablos será de los que sufren esta situación, aunque en esta menesterosidad le sobrepasa con mucho el hidalgo que en el capítulo V lleva debajo de la capa «entretelas de nalga pura».

en el punto más denigrante: abandonado por sus padres apenas recién nacido.[6]

Como corresponde a quienes ocupan el nivel de mayor debilidad en la clase social inferior, los niños-pícaros son los que reciben el rigor y aun el furor de la justicia.

Último eslabón de una cadena, los niños-pícaros van a ser el yunque sobre el que descargar todo tipo de frustraciones. El grito unánime de los curiosos —¡castíguelo, castíguelo, que de Dios lo habréis!— tras el jarrazo del ciego a Lázaro, evidencia que el muchacho será el primero en recibir castigo y el postrero en recibir premio, porque todos lo han prejuzgado culpable, aunque tal juicio no sea ecuánime.[7] Como Lázaro, los pícaros-niños suelen ser incomprendidos, y en sus actos descubren los adultos mayor malicia de la real, malicia que se intenta corregir por medios violentos.

Es la de los pícaros una educación represiva e insuficiente, a pesar de que algunos acceden a los estudios superiores. Su auténtica universidad no está en las aulas de Alcalá o Salamanca, sino en la calle, en los caminos, en determinadas casas, en sociedades marginales donde los menores —si dispuestos —encuentran a los grandes maestros en la picardía que harán de ellos excelentes oficiales del gremio.

El servicio a un amo —aprendizaje por medio del trabajo mal remunerado— suele convertirse en explotación del menor, pero los pícaros se sacuden

---

6. Por ese motivo F. de Santos no perdona a la madre del protagonista: «la fiera más atroz se hizo que crió Naturaleza, pues arrojó de sí a su hijo» (*Periquillo,* p. 969).

7. Como Lázaro, Trapaza recibe golpes sin cuento: «No le costaron pocos azotes el ser travieso y el inquietar a sus compañeros a hacer burlas a otros» (*Vida del bachiller Trapaza,* p. 434).

la servidumbre a medida que los llevó a ese estado.[8] La educación es causa de liberación, pero en la picaresca es un fin secundario, al no suponer ningún tipo de ascenso en la escala social. Si momentáneamente algún pícaro logra un pequeño ascenso mediante sus estudios, muy pronto se percatará de que lo único valioso en la sociedad es disponer de riquezas; la educación en raras ocasiones llega a ser más que un adorno.[9]

La discriminación racial, social y aun religiosa[10] completa el retrato-robot del picaruelo, un niño psíquica y físicamente lastimado que Lázaro modela y los demás completan. Con razón F. Rico estima que Lázaro aparece «como un niño harapiento, quizá no holgazán, pero en cualquier caso sin oficio ni beneficio [...] La primera idea de las gentes de bien es reprender a tal sujeto y apremiarle a dejar la vagancia. Cierto, nosotros sabemos que *la dolencia de Lazarillo es auténtica*».[11] Nosotros sabemos, en efecto, que la imagen del picarillo refleja dolencias reales de una sociedad en crisis que se sirve de esta literatura para efectuar una auténtica catarsis.

---

8. Alonso, protagonista de *El donado hablador,* en cuanto conoce todo lo que su tío quiere enseñarle, siente que el trabajo a que está siendo obligado es excesivo para sus años, como ya vimos.

9. Mientras los estudiantes de pago volverán a su localidad convertidos en dignos bachilleres y letrados, los gorrones difícilmente pueden culminar sus estudios para cumplir el ofrecimiento de ciertos amos. Sólo Tomás Rodaja aprovecha la ocasión llegando a ser el sabio loco que a Cervantes interesa.

10. «Todo lo sufría hasta que un día un muchacho se atrevió a decirme a voces hijo de una puta y hechicera» (*Buscón,* p. 26).

11. *La novela picaresca y el punto de vista,* ob. cit., pp. 108 y 109. La cursiva es mía.

ÍNDICE